# Le système digestif : maître de votre santé

Catalogage avant publication de Bibliothèque et Archives nationales du Québec et Bibliothèque et Archives Canada

Béliveau, Johanne, 1957-

Le système digestif : maître de votre santé : prévenir et traiter le cancer et autres maladies par l'hygiène du système digestif

Publ. en collab. avec GoTopShape.

Comprend des réf. bibliogr.

ISBN 978-2-89436-202-0 (Éditions le Dauphin blanc)

ISBN 978-2-923209-13-5 (GoTopShape)

1. Appareil digestif - Maladies - Médecines parallèles. 2. Appareil digestif. 3. Appareil digestif - Maladies - Prévention. 4. Auto-intoxication. I. Goyer, Christine, 1962-  . II. Titre.

RC802.B44 2008          616.3'06          C2008-940666-4

*Nous reconnaissons l'aide financière du gouvernement du Canada par l'entremise du Programme d'aide au développement de l'industrie de l'édition (PADIÉ) pour nos activités d'édition.*

*Nous remercions la Société de développement des entreprises culturelles (SODEC) du Québec pour son appui à notre programme de publication.*

Infographie : Marjorie Patry
Mise en pages : Marjorie Patry
Correction d'épreuves : Amélie Lapierre

Éditeur :     Les Éditions Le Dauphin Blanc inc.
              6655, boulevard Pierre-Bertrand, local 133
              Québec (Québec) G2K 1M1 CANADA
              Tél. : (418) 845-4045 Téléc. : (418) 845-1933
              Courriel : dauphin@mediom.qc.ca
              Site Web : www.dauphinblanc.com

              Les Éditions GoTopShape
              215, rue Caron, Québec (Québec) G1K 5V6
              Tél. : (418) 266-2673
              Courriel : info@gotopshape.com
              Site Web : www.gotopshape.com

ISBN :     978-2-89436-202-0 pour Les Éditions Le Dauphin Blanc
           978-2-923209-13-5 pour Les Éditions GoTopShape

Dépôt légal : 2ᵉ trimestre 2008
              Bibliothèque nationale du Québec
              Bibliothèque nationale du Canada

Imprimé au Canada

**Limites de responsabilité**

L'auteure et l'éditeur ne revendiquent ni ne garantissent l'exactitude, le caractère applicable et approprié ou l'exhaustivité du contenu de ce programme. Ils déclinent toute responsabilité, expresse ou implicite, quelle qu'elle soit.

# Johanne Béliveau
en collaboration avec Christine Goyer

# Le système digestif : maître de votre santé

## Prévenir et traiter le cancer et autres maladies par l'hygiène du système digestif

GoTopShape

Le Dauphin Blanc

C'est à vous tous, famille et amis, que je dédie ce livre.
Qu'il vous inspire l'amour pour la vie
et que Dieu se manifeste à travers mon écriture.

# Table des matières

# Remerciements

J'ai eu énormément de plaisir à écrire ce livre avec toute la spontanéité et la simplicité qui m'habitent. Écrire un livre n'est pas si compliqué quand le sujet vous passionne. Là où ça se complique, dans mon cas du moins, c'est au moment de la correction et de la rédaction finale. Rapatrier les idées, les informations, pour qu'elles puissent être bien comprises, compléter les données recueillies, restructurer les phrases, les paragraphes, les chapitres afin de favoriser une continuité dans les écrits pour permettre une meilleure compréhension et une plus grande accessibilité aux lecteurs... quel travail de maître!

J'ai eu la chance et l'immense bonheur d'avoir la collaboration d'une grande amie aux talents multiples qui a su apporter soigneusement toute son expertise à cette première correction, Christine Goyer.

Mère de quatre enfants, étudiante en naturopathie, diplômée en éducation spécialisée, elle a su remodeler et enrichir mon travail d'écriture. De plus, grâce à son travail à mes côtés depuis deux ans, elle m'est d'un grand soutien autant professionnellement que personnellement. Sa générosité et cet intérêt à m'aider à réaliser ce projet d'écriture m'émeuvent au plus au haut point. Nous entretenons depuis plusieurs années une belle amitié. Son travail à la clinique est très apprécié, autant à cause de sa personnalité enjouée et de ses compétences en matière de santé naturelle mais aussi de ses aptitudes bureautiques. C'est une passionnée de la santé, du mieux-être, et son dévouement envers tous ceux qui la côtoient, famille et amis, mérite d'être reconnu.

C'est une chance d'avoir une amie comme elle, un privilège.

Merci infiniment, Christine, pour tout ce que tu fais pour moi, et que la vie nous garde unies encore et toujours dans cette belle amitié. Du fond du cœur, merci pour ce travail de maître. Avec ton expertise et toute ta logique, ce livre a pris tout son sens.

Merci aussi à mes dévoués parents de m'avoir donné la vie et d'avoir tout fait pour me guider, me soutenir, me reconnaître, m'encourager. Sans vous et votre générosité, je ne serais pas l'être engagé que je suis aujourd'hui. Votre propre engagement m'a inspirée et m'inspire toujours.

# Avant-propos

Chaque génération a ses forces, ses déceptions, ses inquiétudes, ses espoirs. Moi qui suis à l'aube de la cinquantaine, je
fais partie de cette génération où l'industrialisation a projeté
la science et la technologie en matière de santé très loin devant. Malheureusement, cette poussée industrielle a apporté
de nombreux problèmes jusque-là inconnus. On ne parle plus
de lèpre, de scorbut, de tuberculose, de pandémie de grippe
espagnole, de syphilis, de décès à la suite d'un accouchement,
etc. Ces maladies furent le lot des générations antérieures.
Mais ces maladies ont été remplacées par les cancers, les
crises cardiaques, le sida, le diabète, les fibromes, l'ostéoporose, l'arthrose, la dépression, l'asthme, les allergies, le parasi-
tisme, l'hyperactivité, le déficit d'attention, et la liste s'allonge...

Sommes-nous vraiment plus avancés que les générations
antérieures? Permettez-moi d'en douter!

Non seulement les médias nous confirment que la situation
en santé n'est pas sous contrôle, que les listes d'attente s'allongent, que les urgences débordent, que la pénurie de médecins de famille est évidente, mais en plus, séjourner en milieu
hospitalier n'est pas sans susciter certaines inquiétudes.

L'urgence de prendre sa santé en main n'a jamais été
aussi flagrante. Si vous saviez le nombre de personnes à qui
la médecine a dit qu'elle ne pouvait rien faire pour elles et qui
défilent dans nos bureaux de consultation en quête d'espoir
et de solution. La naturopathie peut effectivement les aider.
Mais quand le feu est bien pris, ce n'est pas toujours évident de l'éteindre. D'où l'importance de travailler en prévention. Nous devons nous informer, apprendre et connaître le
fonctionnement du corps dans sa globalité, autant physique

qu'émotionnel, si l'on veut vraiment changer notre condition et éviter de poireauter sur les listes d'attente.

Personnellement, j'ai eu la chance, au début de la trentaine, de connaître un excellent naturopathe qui, par son enseignement et son *coaching*, a changé ma vie. De victime, je suis devenue responsable de ma santé grâce à cette nouvelle connaissance concernant le fonctionnement de mon système digestif. Et qui dit connaissance dit courage et compréhension, laissant loin derrière la peur et la crainte de la maladie.

Qu'est-ce qui entretient l'inquiétude? L'ignorance! Alors, de grâce, renseignons-nous!

En écrivant ce livre, mon intention est de réanimer cette flamme qui est en vous, cette énergie de combattant, afin d'éloigner toute cette souffrance inutile. C'est ce qui me motive à poursuivre mon travail d'éducation en naturopathie, car oui, j'y crois, oui, je suis convaincue que nettoyer son corps en commençant par le côlon et le rebâtir avec une saine nutrition et une supplémentation adéquate est le nouveau chemin pour atteindre la santé du corps et la paix de l'esprit. Je ne suis pas inquiète pour ma propre santé, car je sais quoi faire pour me soigner en cas de besoin. Et j'ai trouvé la paix intérieure en nettoyant mon système digestif, en faisant des cures et des irrigations du côlon, en améliorant mes habitudes de vie, et je continue, car nous devons faire des efforts tous les jours pour nous assurer de boire suffisamment d'eau, de manger des légumes, de dire non à l'alcool, à la drogue et à tous les artifices.

Oui, l'engagement et la persévérance sont requis, mais quel plaisir de vivre et de faire tout ce que l'on a à faire avec de l'énergie et de la joie de vivre.

Pour ceux qui en ont assez de souffrir, d'être malades, de se traîner de l'aube au crépuscule en espérant retourner se coucher pour en finir avec leur journée, ce livre est pour vous.

Bonne lecture.

# Introduction

Il y a très longtemps que je songe à écrire ce livre. En fait, j'y pense depuis mon premier traitement en irrigation du côlon au début des années 90. Le bien-être que j'ai ressenti à ce moment m'a impressionnée et m'a aussi fait revivre des souvenirs d'enfance lorsque ma mère utilisait cette même méthode de traitement (les lavements) quand nous étions malades, mes sœurs, mes frères et moi. Non seulement nos malaises disparaissaient très rapidement, mais le bien-être que l'on ressentait après était indescriptible.

J'ai donc, au fil des années, poursuivi l'apprentissage de cette approche et j'ai alors décidé de m'inscrire à un cours en naturopathie pour mieux comprendre le fonctionnement de mon corps et pour mieux intervenir. C'est en appliquant les enseignements reçus, que ce soit sur le plan nutritionnel, habitudes de vie, programmes de nettoyage, supplémentation, etc., que j'ai compris non seulement l'importance de cette démarche pour ma santé personnelle, mais aussi la nécessité de partager ces connaissances pour le bien d'autrui.

Je commencerai donc par vous partager les différentes étapes de mon parcours et vous pourrez alors mieux saisir toute l'essence de mon enseignement et, je l'espère, parvenir à accepter qu'il soit possible de retrouver et conserver la santé avec, évidemment, de l'effort et de la persévérance. Quant on veut changer ou améliorer sa santé, il faut d'abord connaître et comprendre les facettes du corps. Alors, on peut intervenir efficacement.

# Chapitre 1

## *La genèse de ma passion pour la naturopathie*

Ma joie de vivre et l'amour des gens qui m'animent continuellement et fait bouillonner mon intérieur proviennent principalement de mes racines Acadiennes et du Lac-Saint-Jean. Les caractéristiques reconnues de ces gens, que l'on considère comme de « bons vivants », ont teinté ma façon d'être et m'ont donné cette énergie de l'infatigable combattante!

Issue d'une famille de cinq enfants, élevée modestement sur les berges du fleuve Saint-Laurent dans la belle ville de Québec, je pratiquais mes activités et mes loisirs principalement à l'extérieur, à proximité de la maison familiale. J'y retrouvais mes amis, provenant des familles avoisinantes aussi nombreuses que la nôtre, et je passais une grande partie de mon temps dehors me permettant ainsi de profiter du soleil et de l'air pur, conditions idéales pour maintenir ma vitalité.

De plus, ayant des parents soucieux de ma santé, trois repas par jour étaient une régularité. Ceux-ci étaient principalement constitués de gruau chaud le matin, de lait non pasteurisé, de fromage frais, d'œufs, de viande, de pain et de fruits. Tous les repas étaient préparés minutieusement par ma mère : soupes, mets principaux, desserts.

Je n'ai d'ailleurs jamais souffert de la faim malgré les salaires dérisoires que gagnait mon père à l'époque. Ma mère avait le don de transformer les restes de la veille en repas copieux et succulents.

Ayant été élevée sur une ferme et connu les farines entières moulues et les légumes frais du jardin, ma mère avait conscience des valeurs nutritives et de l'importance d'utiliser des aliments entiers dans la confection de ses repas. Fruits et légumes étaient toujours à notre disposition. Jamais nous en étions privés. Par contre, la ville étant ce qu'elle est, les magasins d'alimentation offraient dorénavant une toute nouvelle gamme de produits commercialisés (farine blanche tamisée, graisse végétale, sucre raffiné, riz blanc, pain blanc, etc.) et des mets préparés qui teintèrent graduellement les habitudes campagnardes de ma mère, qui mit d'ailleurs un certain temps à s'adapter à ces changements, sachant que les grains entiers cultivés et récoltés sur la terre familiale, exempts de produits chimiques, étaient d'une tout autre qualité et offraient de plus grandes valeurs nutritives.

Malheureusement, les farines blanches et le sucre raffiné, les laits pasteurisés, etc., ont fini par avoir une place dans nos habitudes alimentaires avec, évidemment, les conséquences directes sur notre vitalité et notre santé. Otite, sinusite, amygdalite, fièvre, grippe à répétition sont devenues monnaie courante pour les années qui suivirent. Dès l'âge de quelques mois apparurent mes problèmes d'otites et de sinusites. J'avais également, comme tous les enfants de l'époque, eu plusieurs maladies infantiles dont la scarlatine qui a nécessité plusieurs semaines d'alitement. Sans compter les bronchites, les rhumes et grippes fréquents.

Comme la médecine de l'époque, source première d'information concernant la santé, ne voyait pas vraiment l'impact réel des aliments dénaturés sur la santé, les gens ne s'interrogeaient pas non plus sur les causes réelles de ces malaises ou maladies infantiles qui perduraient ou s'acharnaient sur plusieurs familles de l'époque.

Ni l'enfant tuberculeux et pâle, ni l'enfant qui traînait une scarlatine pendant trois mois, ni l'enfant maigre qui transpirait abondamment pendant son sommeil, rien n'indiquait qu'une alimentation déficiente ou carencée pouvait être à l'origine de l'apparition et du développement de ces maladies.

On ne tenait pas compte de cet élément ni dans le diagnostic ni dans le traitement de ces malaises et maladies (on aurait pu indiquer : carence en vitamines et minéraux, déficience en vitamine du groupe B, déficience en vitamine C, surcharge glucidique, congestion intestinale, surcharge de toxines, protéines mal digérées, etc., qui sont souvent à la source d'un déséquilibre des fonctions de l'organisme et qui rendent le milieu propice au développement de la maladie, ou qui sont tout simplement des mécanismes naturels de nettoyage de l'organisme).

J'ai donc grandi dans cet environnement où l'on ne se posait pas vraiment de question sur les comportements ou mode de vie idéal pour conserver une santé optimale. Le médecin soignait les malades et les « remèdes de grand-mère » faisaient le reste.

Mais, par la suite, je peux dire que ma santé et ma vitalité ont décliné rapidement au fil des années. Mon alimentation désuète, mes mauvaises habitudes de vie ont contribué grandement à l'apparition de nombreux problèmes de santé; constipation partielle ou totale en alternance avec des diarrhées fréquentes, kystes, petites tumeurs, beaucoup de fatigue, excès de poids, rhume et fièvre fréquents, enfin toute une panoplie de malaises plus ou moins importants sans oublier deux grossesses et deux accouchements assez difficiles.

Ce n'est qu'à partir de l'âge de trente ans, lorsque que j'ai commencé à m'intéresser aux programmes de nettoyage et à une meilleure nutrition, que j'ai repris ma santé en main. J'ai compris, après avoir vécu plusieurs cures, que ces problèmes de santé étaient en réalité des manifestations de détoxification, c'est-à-dire de processus d'expulsion des toxines accumulées dans mon organisme et qu'il était temps que je m'en préoccupe. Mon corps, heureusement, semblait avoir encore suffisamment d'énergie vitale pour signaler son taux d'encrassement et, de fait, mettre en branle les processus naturels de nettoyage. Mais il fallait dorénavant que je modifie mes habitudes de vie fautives.

Certains me diront, à la suite de cette analyse, qu'il faut aussi tenir compte de l'aspect émotionnel dans l'apparition de nos malaises ou maladies. À cela, je vous dirais que j'ai plusieurs séminaires en « émotionnel » à mon actif, qui m'ont été très bénéfiques et qui m'ont aidée à cheminer vers une vie plus mature. Mais je demeure convaincue et le resterai toujours qu'un corps propre et en santé peut permettre à l'être humain de faire face, d'une façon plus équilibrée et moins dévastatrice, aux épreuves qui se présenteront tout au long de sa vie.

### Mon initiation aux approches naturelles de la santé

J'ai commencé très jeune à m'interroger sur les comportements humains, et je dois ce questionnement à mon père, un homme merveilleux, cultivé, avec une mémoire phénoménale et une sensibilité à ressentir les êtres et les événements hors du commun. Il a lutté toute sa vie contre un problème d'alcool. Sa souffrance, je l'ai ressentie bien des fois et mon désir de l'aider, de le soulager, de l'encourager, a fait de moi cette personne engagée à chercher toujours et encore la solution à tous les problèmes de santé.

Alors qu'il me répétait constamment que l'alcoolisme est une maladie mentale incurable, moi, l'entêtée, la persévérante, j'ai toujours refusé cette idée. J'ai continué à m'interroger et je me suis intéressée, entre autres grâce à l'intervention de ma sœur cadette qui étudiait à l'époque en naturopathie, à une nouvelle vision de ce qu'est la santé et à des approches plus respectueuses et plus réalistes à son égard.

Mes premiers contacts significatifs avec le monde des approches naturelles de la santé furent possibles grâce à mon travail de secrétaire auprès d'une équipe de naturopathes et d'hygiénistes du côlon. Ce sont les personnes qui m'ont initiée à l'importance de cette notion de nettoyer son corps pour mieux le rebâtir; enseignements qu'ils ont acquis grâce à un personnage important, Bernard Jensen, nutritionniste américain reconnu et un des pionniers en matière de médecine préventive. J'ai donc entrepris d'abord, selon les indications de ces professionnels de la santé au naturel, la consommation de fibres de psyllium combinées avec d'autres plantes émollientes pour amorcer un premier travail de nettoyage. Comme une brosse que l'on utiliserait pour désincruster de vieilles matières collées, le psyllium, riche en fibres solubles qui se gorgent d'eau, favorise l'humidification des déchets collés (souvent de vieilles matières datant de plusieurs années) sur la paroi de l'intestin et permet leur expulsion hors du côlon.

À la suite de ce début de nettoyage, très fiévreuse, je suis rentrée un matin au travail. L'hygiéniste du côlon me proposa, pour éliminer la cause de cette apparition de fièvre, une irrigation du côlon. Tout de suite après le traitement, je me sentais déjà mieux et la fièvre avait disparu. J'ai pu constater alors l'efficacité et la rapidité de ce traitement qui, en l'espace de quelques minutes, m'avait débarrassée rapidement des toxines remises en circulation par le processus de nettoyage. J'avais par moi-même expérimenté le bien-fondé de ce genre de traitement pour soutenir le corps dans sa tâche de nettoyage.

Non seulement j'étais emballée par cet outil de soutien pour une meilleure détoxication, mais j'avais enfin trouvé ma mission: aider les gens à investir dans leur santé en leur enseignant l'importance de nettoyer d'abord leur organisme, en supportant les émonctoires surchargés et, ensuite, en investissant dans les éléments indispensables pour favoriser leur travail; alimentation saine, capacité adéquate et régulière d'élimination, cure, exercice physique, respiration adéquate, oxygénation, supplémentation spécifique (nutrition cellulaire), etc.

Je me suis donc inscrite à une formation en naturopathie donnée à l'école CENAB sous la direction de Christian Limoges (naturopathe qui m'a initiée aux approches naturelles de la santé) et parallèlement à celle d'hygiéniste du côlon. Ma formation achevée comme hygiéniste m'a donné la possibilité de pratiquer plus rapidement et m'a permis de gagner ma vie dans un métier qui me passionnait et me fournissait un revenu suffisant pour poursuivre mes cours comme naturopathe.

La philosophie de cette formation naturopathique était basée principalement sur les principes de recherche et de pratique d'un nutritionniste naturopathe d'une grande intelligence, Bernard Jensen. Cet homme passionné s'est investi tout au long de sa vie dans la recherche d'éléments essentiels pour la santé ainsi que dans l'application de mesures concrètes pour une hygiène de vie saine. Ce naturopathe, grand voyageur qui s'est inspiré de différentes approches naturelles de la santé recueillies auprès de grands maîtres qu'il a rencontrés dans les nombreux pays qu'il a visités, a instauré un centre de santé aux États-Unis où il a reçu pendant de nombreuses années non seulement des gens très malades, mais aussi des personnes désireuses de profiter de son enseignement.

Amant de la nature, il a fait connaître les différentes propriétés et applications thérapeutiques des aliments, des végétaux et des herbes, dans toute leur intégrité dans le processus de retour à la santé. Pour lui, elles sont des outils indispensables dans l'atteinte d'une santé maximale et d'une qualité de vie supérieure. Son objectif : éduquer au lieu de médicamenter.

Ayant œuvré pendant près de cinquante ans et traité des milliers de personnes alitées à partir de changements alimentaires et de cures de nettoyage, il en est arrivé à la conclusion que toutes les maladies ont leur origine dans le côlon. L'encrassement progressif de l'intestin est selon lui à la source de l'apparition de nombreux malaises et maladies. « Le fonctionnement du corps humain n'est pas différent d'une maison qui possède une fosse septique et un champ d'épuration. Si l'on ne fait jamais vider la fosse septique, ce ne sera pas très long pour que tous les conduits d'eau, dans la maison, se congestionnent, qu'il y ait des reflux et que des odeurs malodorantes se dégagent (gaz, mauvaise haleine, sueurs nauséabondes, etc.) »

Bernard Jensen est décédé à l'âge de 94 ans laissant derrière lui de nombreux écrits qui guident encore de nombreux thérapeutes en médecine parallèle préventive. Il a mené une vie riche d'expériences et de dévouement.

La hiérarchie médicale aurait tout intérêt à s'ouvrir à ce monde de connaissances qu'est la naturopathie et à consulter les ouvrages de ces grands maîtres de la santé. Bien sûr, l'être humain malade a besoin de plus d'un produit naturel ou d'un médicament pour se soigner. Ce n'est seulement qu'en apportant un ensemble de changements dans nos habitudes et nos rythmes de vie qu'une réelle amélioration de notre condition de santé sera possible.

Cette formation naturopathique m'a permis non seulement d'acquérir des notions théoriques mais aussi pratiques;
la formation incluant l'expérimentation d'un programme de
nettoyage, la cure de sept jours intensifs de Bernard Jensen.

Par la suite, j'ai continué, grâce à différentes techniques
pour nettoyer et rebâtir mon corps, dont la cure de Stanley
Borrow, vingt jeûnes, cure pour le foie, changements alimentaires, supplémentation, etc., à explorer ces avenues afin de
parfaire ma compréhension théorique et pratique du fonctionnement optimal du système digestif, mais aussi pour me
permettre d'avoir des références concrètes lors de mes éventuels suivis de clients en cures de nettoyage, d'amaigrisse-
ment, de revitalisation, etc. Après ces nombreuses démarches
de nettoyage, le bien-être que j'ai ressenti, tant au point de
vue physique que psychologique, est indescriptible. Je venais
de vérifier par moi-même les affirmations de Bernard Jensen
concernant le système digestif et plus spécifiquement l'encrassement intestinal comme initiateur de nombreux problèmes
de santé.

C'est d'ailleurs ce que j'ai pu constater, au cours de mes
neuf années de pratique naturopathique, que les nombreuses
personnes qui m'ont consultée en clinique ou lors de mes
conférences ont toutes un point en commun; la constipation
(quelque soit l'âge ou le sexe). Je fus à même de constater
aussi que de nombreux malaises et maladies pour lesquels
les gens venaient me consulter étaient reliés directement ou
indirectement à ce problème, c'est-à-dire que pour la plupart
d'entre eux, à l'origine de leurs malaises, on pouvait déceler
un problème du côlon et que d'ignorer ce constat nous éloi-
gnait de la genèse même du problème. Il est donc essentiel
de bien comprendre toute l'importance de travailler d'abord
sur le site initiateur du malaise et non pas seulement sur les
symptômes apparents. Et que peu importe la décision que l'on
prend par rapport aux choix de traitements, il faut d'abord

commencer par nettoyer son côlon pour se permettre d'ouvrir la porte à l'élimination des toxines; c'est une priorité.

« Les Chinois disent d'ailleurs qu'à l'intérieur de notre côlon, des points précis représentent chacun de nos organes vitaux et que si l'on élimine la croûte intestinale, les organes vitaux récupèrent leur énergie vitale. Autrement dit, si l'on a des problèmes de foie et que l'on consomme sans cesse des tisanes nettoyantes, ce n'est pas suffisant. Il faut nettoyer d'abord le côlon et le foie va récupérer sa totale énergie pour éliminer ces déchets.»[1]

Je pratique toujours ces deux professions et ma passion va en grandissant. De voir des gens heureux de mieux se sentir, d'éviter la prise de médicaments, de prendre conscience que le corps en a assez des abus alimentaires et de voir renaître l'énergie en eux, ça me garde convaincue que je suis très utile dans ce travail qui demande tout de même de l'engagement et un don de soi continuel.

C'est pourquoi j'ai décidé de me mettre à l'écriture afin de partager cette connaissance avec le plus de gens possible. À travers ce livre, je tenterai de vous offrir ce qu'il y a de plus important dans la recherche des solutions pour une santé globale optimale; la connaissance du fonctionnement de notre corps. On ne peut intervenir sur un problème que si l'on en connaît la cause initiale et c'est seulement à ce moment que l'on peut apporter les corrections nécessaires pour améliorer la situation.

Plusieurs livres ont été écrits sur la santé, l'alimentation et tout ce que l'on peut imaginer qui concerne la santé. Chaque auteur veut passer un message d'espoir, d'encouragement, en fait, chaque auteur a à cœur la santé de ces semblables. Mais malgré cela, je tiens quand même à écrire, à ma façon, ce que j'ai compris du corps humain et de son fonctionnement, et ce, à travers mon cheminement personnel.

---

1.   Auteroche, B. P. Navailh. Diagnostic en médecine chinoise, Ed. Maloines

J'utiliserai donc un langage et des explications simples pour mieux comprendre le fonctionnement de notre corps, car pour moi, au-delà du langage scientifique qui malgré toute sa pertinence nous complique la vie et nous empêche d'être impliqués dans notre santé, il est primordial que cette connaissance soit accessible.

# Chapitre 2

## *Explication plus approfondie du fonctionnement de la cellule*

### La cellule

Le corps humain est constitué de différents organes, tissus, glandes, etc., qui sont à leur tour constitués de milliers de cellules spécifiques réunies. Chaque cellule est constituée de plusieurs molécules et chacune de ses molécules est constituée de plusieurs microzymas, et plus petit qu'un microzyma, c'est la lumière.

Une cellule est un être humain en infiniment plus petit. Comme ce dernier, elle se nourrit, digère et élimine ses déchets. Elle doit toute sa vitalité aux différents nutriments organiques et inorganiques qui lui seront fournis; eau, air, nutriments qui proviennent des aliments (vitamines, minéraux, oligo-éléments, glucides, lipides, acides aminés, etc.) ainsi qu'au contexte environnant (stress, polluants, produits toxiques, émotions intenses, etc.) qui l'anime. Il est donc non seulement essentiel mais vital d'offrir les conditions idéales pour que nos cellules puissent évoluer et répondre adéquatement à leurs fonctions respectives.

La nourriture principale des cellules est constituée de minéraux, principalement de onze éléments importants dont le carbone (C), l'hydrogène (H), l'oxygène (O), l'azote (N), le soufre (S), le phosphore (P), le sodium (Na), le potassium (K), le magnésium (Mg ), le calcium (Ca), et le chlore (Cl). L'être humain a donc comme principale obligation de s'alimenter quotidiennement afin de fournir les éléments nutritifs dont les cellules auront besoin pour fonctionner et accomplir leurs tâches. Qu'elles servent à la production d'énergie, à la réparation des tissus, à la défense de l'organisme, à la détoxification, à la production d'hormones, etc., elles ont toutes besoin à la base de différents éléments dont les minéraux, vitamines, glucides, lipides et protéines, anti oxydants, oxygène, etc. Par contre, les éléments indispensables pour que la cellule fonctionne demeurent les minéraux, car l'organisme n'a pas la capacité de les fabriquer lui-même contrairement aux autres nutriments. De plus, pour que ces minéraux soient utilisables ou assimilables par la cellule, il faut qu'ils soient organiques (c'est-à-dire qu'ils possèdent dans leur structure un atome de carbone) et qu'ils se présentent sous la forme colloïdale (c'est-à-dire sous une forme infinitésimale ou en infime particule) sinon ils n'entrent pas dans la cellule et de plus perturbent les échanges intra et extracellulaires. On pourrait aussi ajouter que les mauvais minéraux et autres nutriments inadéquats, en plus de ne pas contribuer à l'approvisionnement nutritionnel nécessaire de la cellule, favorisent son encrassement. Nous en reparlerons dans le chapitre qui traite des minéraux.

Pour respecter ces conditions, il faut donc se procurer minéraux et autres nutriments à partir d'une alimentation saine, vivante et variée, car comment légumes, fruits, oléagineux, noix et grains entiers, viandes et volailles, poissons, peuvent-ils fournir à la cellule tous les éléments nutritifs dont elle a besoin si, initialement, ils ne proviennent pas d'un milieu adéquat de culture ou d'élevage (sols appauvris en minéraux, utilisation de pesticides et d'engrais chimiques, hormones de croissance, antibiotiques, pollution, etc.)? Non seulement ces aliments dépossédés de la plus grande partie de leurs minéraux, vitamines, gras essentiels, enzymes etc., faillissent à leur rôle nutritionnel, mais contraignent les organes digestifs dont le foie, pancréas, intestins, à effectuer des tâches supplémentaires. De plus, puisqu'ils sont souvent porteurs d'éléments toxiques pour la santé de nos cellules, ils augmentent l'apport énergétique nécessaire pour leur détoxification par le foie.

Considérant aussi que les transformations que l'on fait subir aux aliments telles que la cuisson à haute température, au micro-ondes, la congélation, la précuisson, le raffinage, l'irradiation, les modifications génétiques, etc., nous privent non seulement des éléments nutritifs essentiels, source d'énergie vitale, mais aussi des propriétés thérapeutiques qu'ils ont sur l'organisme, que reste-t-il d'utile dans l'aliment à la fin de cette longue croisade? Bien peu!

Il est donc indispensable que notre alimentation au quotidien soit basée principalement sur un choix d'aliments crus, vivants, et, si possible, de culture biologique; meilleure garantie de retrouver les valeurs nutritives essentielles que doit procurer l'aliment. De plus, nous n'insisterons jamais assez sur le fait qu'elle doit aussi être variée. Ce sera l'une des meilleures solutions pour maintenir nos cellules dans des conditions idéales pour leur fonctionnement. On devra, malgré de bonnes habitudes alimentaires, compléter par une supplémentation adéquate qui viendra combler tous les besoins de l'organisme.

Légumes crus, fruits frais, germinations, noix et graines fraîches, lait cru, jeunes viandes, poisson, volaille d'élevage sauvage ou biologique, gibier, miel non pasteurisé, huile de première pression à froid, biologique, etc., et la certitude que l'on se supplémente adéquatement avec une **formulation** vitaminique, minérale et antioxydante composée exclusivement à partir d'éléments de la nature riches en ces nutriments.

Il est aussi important de noter que chaque fois que vous consommez des aliments, des breuvages dépourvus de minéraux ou qui drainent les minéraux présents (café, thé, boissons gazeuses, eau minéralisées, etc.) ou qui en empêchent leur absorption, tout ceci contribue à diminuer vos propres réserves, car le corps travaille plus fort à transformer ces aliments vides de minéraux et doit puiser dans ses réserves; les muscles, les dents et les os, pour maintenir l'équilibre. Le plus grand travail du corps humain, c'est la digestion. Une grande énergie sera donc nécessaire pour réaliser ces transformations; les baisses d'énergie après les repas en sont d'ailleurs un des plus évidents symptômes.

Pour terminer, non seulement une alimentation appauvrie entraîne une déminéralisation graduelle de l'organisme, mais chaque fois que vous êtes stressé, que vous vivez des colères, de la rancune, de la culpabilité, des chocs émotionnels, de grandes tristesses, etc., vous vous déminéralisez aussi. D'où l'importance d'avoir des réserves de minéraux et d'en maintenir l'équilibre.

**Ce qu'il faut donc retenir** de très important par rapport au bon fonctionnement de nos cellules, c'est qu'elles n'ont pas la capacité de fabriquer les minéraux donc elles doivent constamment aller chercher dans les aliments ingérés les nutriments dont elles ont besoin afin de s'approvisionner et ainsi de maintenir l'équilibre .

**N'oubliez pas** que le corps est très intelligent, il a plus d'un tour dans son sac pour remédier à nos abus incessants. Par contre, à long terme, il finira par s'épuiser et il deviendra moins performant.

Malheureusement, pour la plupart d'entre nous, ce n'est que le diagnostic d'arthrite, d'arthrose, de maladie cardiaque, de maladies dégénératives, de diabète, de cancers, etc., qui nous fait prendre conscience que nous n'avons jamais ou très peu été à l'écoute des besoins de notre corps et des signes d'inconforts qu'il nous a démontrés à plusieurs reprises. Soyez donc attentif! La santé, c'est précieux, mais ça nécessite des efforts!

## Le fonctionnement de la cellule

La cellule est une entité en soi. Elle respire, se nourrit et élimine ses déchets et, selon sa spécificité, elle accomplit différentes tâches. Mais pour que cela soit possible, elle doit d'abord produire de l'énergie; moteur indispensable à toutes ses fonctions. Par contre, certains éléments spécifiques lui provenant de la dégradation des aliments par le système digestif lui seront nécessaires pour amorcer la réaction (certains minéraux, vitamines, enzymes, etc.), mais aussi pour la production même d'énergie (glucose). Lorsque la cellule sera bien gorgée de ses éléments essentiels, elle pourra produire, conjointement avec ses cofacteurs (minéraux) et ses coenzymes (vitamines), l'énergie, source de vie.

La principale source de carburant pour que la cellule puisse produire de l'énergie est le glucose, mais elle utilise aussi, en cas de besoin, les acides gras et en dernier recours les acides aminés. Ces éléments sont comparables au bois que l'on utilise pour chauffer notre foyer, ça donne du carburant et permet de produire de l'énergie, de la chaleur. Le glucose, ou glucide, se retrouve principalement dans les hydrates de carbone de notre alimentation; les céréales, les grains entiers, les fruits et légumes en sont les meilleures sources. Mais pour que ces hydrates de carbone soient utilisables par la cellule, ils doivent d'abord être dégradés grâce à l'intervention d'enzymes et de suffisamment d'oxygène provenant de certains organes ou glandes spécifiques; glandes salivaires, estomac, foie et pancréas, et l'oxygène fourni par le poumon permettra l'oxydation de ces molécules transformées.

C'est donc par ces différentes étapes que sera possible la combustion et l'utilisation complète de ces hydrates de carbone. **Par contre, l'offre doit correspondre à la demande,** c'est-à-dire que ce qui est ingéré doit correspondre au besoin réel de l'organisme, car une concentration trop élevée de ces glucides entraînerait un processus de stockage par le foie qui verrait à emmagasiner l'excédent sous forme de gras pour des besoins éventuels. Qui dit emmagasinage dit excès de poids!

De plus, à moyen et à long terme, par surconsommation de glucides (pain, pâtes, sucrerie, miel et autres substances sucrantes, etc.), par l'adoption d'une alimentation pauvre en aliments crus dépourvus d'enzymes, par le manque d'exercice physique et la sédentarité (l'essoufflement pendant un effort physique étant indispensable pour que l'oxygène puisse atteindre la cellule), la capacité de l'organisme dans la gestion et l'utilisation de ces glucides se verra diminuée et, de fait, les glandes impliquées (le pancréas, le foie) s'épuiseront à leur tour. C'est alors que certains symptômes ou maladies pourront apparaître; l'hypoglycémie, le diabète, les triglycérides élevés, l'embonpoint, etc., la cellule surchargée de déchets, et l'oxygène n'ayant plus de place pour entrer.

La cellule fonctionne comme nous. Si nous mangeons en excès et que nous ne brûlons pas ce que nous mangeons, nous nous retrouverons en excès (excès de glucides = excès de gras = excès de poids, etc.) puisque l'excédent de glucide sera transformé, par le foie, en gras, et sera emmagasiné dans les tissus adipeux pour une éventuelle utilisation. Un poêle à bois rempli de cendre, c'est la même chose. Si l'air ne peut pas entrer, la combustion ne se fait pas.

Donc, quelqu'un qui fait peu ou pas d'exercice ou d'efforts physiques ne nécessitera pas la même quantité de glucides que quelqu'un qui a une vie très active et qui brûle rapidement ces calories. Même chose pour les protéines.

C'est pour cette raison que les aliments que nous consommons cuits ou transformés demandent beaucoup plus d'énergie pour qu'ils puissent être utilisés. Ce devrait être le contraire. Les aliments devraient nous donner de l'énergie. Par exemple, quand on mange une carotte, elle est défaite par la mastication. Les liens se brisent dans notre bouche et on retient cette énergie pour se rebâtir. Dans tout ce qui est cru (légumes, fruits, germination), il y a beaucoup d'énergie. Cette énergie est libérée dans notre corps. Quand la carotte est cuite, les liens sont brisés et cassés, il n'y a plus d'énergie. La carotte ne se tient plus, l'énergie de la forme n'est plus là donc, en plus de ne pas apporter d'énergie, elle alourdit la fonction digestive; le processus de dégradation nécessitant beaucoup plus d'enzymes. D'où l'importance de manger le plus possible cru et vivant!

Pour conclure sur la cellule, je dois vous parler du chlorure de sodium. J'en parle régulièrement dans mes conférences, car c'est un élément important impliqué dans le fonctionnement normal de la cellule.

Nous savons que la cellule doit recevoir ses nutriments par le sang, après que celui-ci ait été filtré par le foie, et pour ce faire, la présence de chlorure de sodium est essentiel pour permettre l'ouverture de la membrane cellulaire pour capter les autres minéraux et l'oxygène. Cet élément indispensable pour l'échange extra et intracellulaire doit être disponible en tout temps. Par contre, quand on parle de chlorure de sodium, on parle d'une source organique de chlorure de sodium, c'est-à-dire celui qui vient des aliments tels que les algues, céleri, produits de la chèvre (yogourt, lait, fromage), de la viande (surtout les jeunes viandes), car il est important de noter que malheureusement la cellule ne fait pas de distinction entre les bonnes et les mauvaises sources de sodium.

Que ce soit le sel de mer ou le sel de table qui est disponible dans le sang, la cellule, le considérant comme une source de chlorure de sodium, l'utilise pour enclencher l'ouverture de sa membrane pour l'entrée des nutriments même si ce sodium est inorganique. Le problème qui se pose, c'est que l'utilisation à long terme de ce minéral inorganique favorise l'accumulation de déchets encrassant et obstruant la cellule (on pourrait comparer les effets corrosifs de ces sels de sodium inorganiques à ceux qu'occasionnent l'épandage de sel dans nos rues l'hiver; dommages sur nos voitures, nos vêtements, nos bottes, etc.), entraînant une diminution dans sa capacité à capter non seulement les nutriments indispensables, mais aussi suffisamment d'oxygène pour sa production d'énergie. Sachant que l'oxygène est l'élément d'oxydation indispensable à la cellule, on pourrait schématiser un des processus d'intoxication de la cellule de cette façon :

**Pas d'oxydation = pas de production d'énergie**
**Pas de production d'énergie = ralentissement des différentes fonctions de l'organisme**
**Ralentissement fonctionnel = intoxication et encrassement des cellules**
**Encrassement des cellules = malaises et maladies**

De plus, un excès de sodium inorganique entraîne de nombreux déséquilibres sur le plan de l'utilisation de l'eau par les cellules (rétention d'eau).

Par exemple, on peut remarquer que, chez les personnes qui ont tendance à enfler des mains, des pieds, des jambes, du visage ou d'autres parties du corps, le manque de chlorure de sodium organique est souvent à l'origine de leur problème; les cellules saturées de mauvais chlorure de sodium (sel de table, aliments salés, etc.) maintiennent l'eau à l'extérieur et de fait créent l'enflure.

Alors, préférez des poudres de légumes à 100 % sans sel ajouté pour assaisonner ou le sodium organique provenant des produits de la chèvre sous forme de produits dérivés (fromage, yogourt) ou de concentré de petit-lait de chèvre en poudre; le petit-lait étant le liquide qui se forme au-dessus du fromage quand il prend forme. Les minéraux sont plus présents dans le petit-lait que dans le fromage lui-même.

Pourquoi le petit-lait de chèvre?

● Parce que la chèvre, une fois adulte, pèse 54 kilogrammes environ, donc son lait est composé de molécules de protéines et de lipides beaucoup plus petites que celles du lait de vache et donc plus digestes.

● Parce que l'on retrouve le sodium, indispensable pour que l'organisme puisse assimiler les nutriments ingérés.

● Parce qu'il possède aussi plusieurs autres minéraux, tous aussi importants les uns que les autres, qui contribuent au maintien de l'équilibre acidobasique, en fournissant les minéraux tampons qui permettent de diminuer le taux d'acidité de l'organisme.

● La chèvre, étant de constitution prédominante **en sodium organique**, est un animal au corps souple, escaladant les montagnes avec aisance, très enjouée et taquine et qui nous transmet, grâce à ses produits, toute cette souplesse et sa joie de vivre.

On pourrait aussi ajouter :

● Que ce lait est idéal pour les nourrissons qui n'ont pas la chance d'être nourris de lait maternel (le lait de vache étant pour un veau de plus de 23 kilogrammes tandis que le chevreau ne pèse à la naissance que 5 à 7 kilogrammes, ce qui se rapproche beaucoup plus du poids d'un bébé humain).

Faits à noter : On remarque que les gens rigides, qui veulent toujours avoir raison, qui manquent de souplesse, les gens qui ne sentent pas le bonheur circuler en eux, manquent de sodium organique.

Un bon moyen de vérifier le manque de sodium organique dans l'organisme : des articulations qui craquent!

Un autre élément minéral très présent dans le concentré de petit-lait de chèvre est le **potassium**. Il travaille en étroite collaboration avec le sodium; lui à l'extérieur de la cellule et le sodium à l'intérieur. On le retrouve dans tout ce qui est cru et vivant tels les fruits, les légumes, les germinations, les jus verts, le vinaigre de cidre de pomme biologique et non pasteurisé.

On l'appelle le « minéral de la jeunesse ». Sans lui, il n'y aurait pas de vie sur terre.

Il est important de savoir que pour chaque 28 grammes de potassium dans le corps, 1559 grammes de sodium sont utilisés. Comme le chlorure de sodium est indispensable à la digestion, si nous avons une diète riche en légumes et en fruits qui contiennent beaucoup de potassium, mais pauvre en viande, algues, produits de la chèvre, nous débalançons le chlorure de sodium.

J'ai souvent rencontré des personnes qui avaient opté pour un régime végétalien (qui ne consomment aucun produits animaux), et ce, depuis plusieurs années, et qui se sont retrouvées avec autant de problèmes digestifs à long terme que ceux dont les produits animaux faisaient partie de leur alimentation (déséquilibre sodium-potassium). À l'inverse, si nous ne consommons pas suffisamment de légumes et de fruits crus et vivants, des germinations qui sont riches en potassium, nous empêchons l'équilibre sodium-potassium et nous favorisons la congestion de la cellule.

Fait à noter concernant le chlorure de sodium inorganique : À l'hôpital, le soluté que l'on installe aux patients contient (Na Cl), le corps n'a pas le choix, il va se réhydrater même si c'est inorganique. Par contre, comme ça ne passe pas par la digestion, que c'est direct dans les veines, le corps ne peut pas diminuer l'apport excédentaire. Quand le corps sera complètement réhydraté et que les cellules seront redevenues de forme normale, le corps va rester pris avec le mauvais sodium. On aura alors besoin de potassium (K) pour rééquilibrer. Alors, jus de légumes, eau avec vinaigre de cidre de pommes non pasteurisé et biologique, etc., permettront de limiter les dégâts.

**Donc, le petit-lait est un aliment qui devrait faire partie de nos habitudes quotidiennes. Si les gens consommaient du petit-lait à la même quantité qu'ils boivent du café, la maladie n'existerait plus, j'en suis certaine. Mon professeur en naturopathie approuverait sûrement cette réflexion!**

À noter : Pour ceux qui ont des ulcères d'estomac, commencez très doucement avec le petit-lait. C'est un aliment encore plus qu'un supplément, mais le chlorure de sodium contenu naturellement dans le petit-lait est très actif sur les parois de l'estomac surtout si celles-ci sont déjà irritées, ça peut créer des malaises. Quand l'estomac brûle (ulcères), il essaie d'éliminer l'inflammation en utilisant le sodium en présence pour tamponner l'excès d'acidité, mais ulcère = absence de sodium; l'estomac se voit donc contraint de patienter en vue d'une meilleure condition de guérison. C'est seulement avec le sodium provenant des aliments que cela sera possible ou avec l'aide de certains suppléments de bétaïne ou de chlorure de sodium ou de plantes rééquilibrantes.

Pour terminer, je dois la découverte de ce produit à une de mes amies qui, à l'époque, élevait des chèvres et qui avait utilisé leur lait pour sevrer ses filles du lait maternel. Petites, elles étaient toujours souriantes, joyeuses, pleines de projets, épanouies, gentilles et elles le sont encore. Ayant donc eu le privilège de pouvoir consommer ce bon lait et ce bon fromage de fabrication artisanale provenant de la ferme de mon amie, mes filles et moi avons appris à aimer et à apprécier les produits de la chèvre. Cette grande amie m'a énormément inspirée. Elle a toujours eu son jardin avec des récoltes incroyables. Proches de la terre, elle et son mari ont contribué à me donner le goût de la santé. Des gens simples et généreux que j'aime profondément. Merci Diane et Gaétan Beauchemin de Beloeil.

Je consomme depuis, soit au-delà de vingt ans, ce petit-lait de chèvre en poudre et chaque fois, j'en ressens un très grand bien. Consommatrice assidue de ce breuvage, je crois qu'il contribue, en partie, à faire de moi une femme très joyeuse, pleine de vie et une grande amoureuse de tout ce que la vie m'offre.

## Les minéraux : indispensables au fonctionnement normal de la cellule

Le corps est constitué à 96 % de quatre éléments; l'oxygène, l'hydrogène, le carbone et l'azote. Les 4 % restants sont répartis en une vingtaine de minéraux dont les plus importants sont : le calcium, le phosphore, le potassium, le soufre, le sodium, le chlore, le magnésium. Les autres, puisqu'ils sont nécessaires en plus petite quantité, sont appelés « oligo-éléments ». On retrouve principalement dans cette catégorie : le fer, le zinc, le sélénium, le manganèse, le cuivre, l'iode, le vanadium, le bore, le lithium, le chrome, le molybdène et le cobalt.

Ces minéraux ont des rôles respectifs dans l'organisme. Que ce soit des composantes intégrantes de certaines molécules (ex.: fer au centre de l'hémoglobine) ou que ce soit comme catalyseur enzymatique (accélère le travail des enzymes) ou en se combinant avec certaines vitamines, ils deviennent des précurseurs de certaines fonctions cellulaires (ex.: vitamine C + cuivre, interviennent dans la synthèse du collagène – vitamine A et zinc, pour la vision nocturne).

Ils ont donc des rôles essentiels pour le bon fonctionnement de l'organisme.

Voici un résumé des principales fonctions des minéraux les plus importants et des organes ou des glandes qui y sont reliées ainsi que les symptômes courants associés à une déficience dans l'organisme. À noter, lorsque vous rencontrerez les initiales **B. J.**, sachez que ce sont des références aux significations spécifiques des minéraux établies par Bernard Jensen, naturopathe américain chevronné dont nous avons parlé au chapitre premier.

**Le calcium** représente 2 % du corps, dont 99 % se retrouve au niveau des os et des dents et 1 % se retrouve dans le sang, la lymphe, le plasma et les cellules.

- La partie qui est dans le sang permet le bon fonctionnement des muscles, des nerfs et du cœur.
- Il favorise la cicatrisation des plaies.
- Il a besoin de magnésium et de phosphore, de la vitamine D, A et C pour une meilleure absorption.
- Il a aussi besoin de chlorure de sodium pour le maintenir en liquide dans le sang.
- Le calcium permet de mener une grossesse à terme.
- **B. J.** donne vitalité, courage et endurance. Le métabolisme du calcium nécessite la présence de gras essentiels (oméga-3, 6, 9).

Tout ce qui est acide nuit au calcium : rhubarbe, thé, café, chocolat, excès de viande, excès d'alcool, surmédication.

Dans l'eau dure, il peut y avoir du mauvais calcium. Attention à l'eau de source. Le mauvais calcium obstrue les artères.

Le calcium végétal est mieux assimilé (figues, noix, dattes, pommes, fèves, graines de sésame, légumes crus, choux, germe de blé). Faire attention à la rhubarbe et aux épinards, car ils contiennent trop d'acide oxalique et ils empêchent l'absorption du calcium.

Besoin quotidien d'un adulte : 800 mg de calcium élémentaire.

Femme en préménopause et ménopause : 800 à 1200 mg par jour.

De plus, saviez-vous qu'un manque de calcium entraîne un manque de courage. Le calcium, c'est la solidité, c'est le minéral qui nous attache à la terre, qui nous garde réalistes. Les gens aujourd'hui sont en très grande carence de ce minéral, et de tous les autres minéraux aussi. Je pense à tous ces gens qui se suicident, qui n'ont plus de courage. S'ils savaient à quel point lorsque l'on intègre des minéraux et que l'on permet au corps de retrouver son équilibre, combien la vie peut être belle. Je suis certaine que plusieurs ne feraient pas un geste pareil. Quand les gens sont dépressifs, à bout, pourquoi ne pas se supplémenter avant de penser aux médicaments chimiques. Ce serait si simple. Le médicament va encourager la toxémie et le déséquilibre. Le corps meurt, car il y a déséquilibre et la volonté meurt également pour les mêmes raisons.

**Le phosphore** est le deuxième minéral le plus abondant dans notre organisme après le calcium. Il est présent dans toutes les cellules, mais il se retrouve principalement dans les os et dans les dents dont il est, avec le calcium, le principal constituant. Il est impliqué dans plusieurs autres fonctions dont, entre autres :

- production d'énergie
- synthèse des protéines pour la croissance, maintien et réparation de tous les tissus

- activation de plusieurs vitamines (B2, B3 et B6)
- équilibre acidobasique (acidité)
- fonction nerveuse (maintien la fibre nerveuse en santé)
- **B. J.** Construction de la force de la pensée, de la réflexion et de l'intelligence.

Il est donc indispensable pour notre santé. Malheureusement, beaucoup d'éléments empêchent son absorption :

- caféine
- excès d'antiacide
- déficience en vitamine D
- excès de sucre blanc

Ces éléments peuvent entraîner des problèmes de carences tels :

- retard de croissance
- ostéoporose
- douleurs aux os
- anxiété, irritabilité, peurs, etc.
- problèmes dentaires et gingivaux

À l'inverse, un excès de phosphore occasionné par une consommation régulière ou excessive de boissons gazeuses, ou d'eaux minérales entraîne un déséquilibre dans le rapport calcium-phosphore et contribue ainsi à l'abaissement du calcium disponible dans l'organisme.

Les problématiques d'intoxication qui y sont reliées :

- ostéoporose
- hypertension
- cancer du côlon
- affaiblissement des reins et des poumons

Une étude américaine révélait d'ailleurs qu'une quantité de 200 litres de boissons gazeuses en moyenne était consommée par année par personne. Imaginez que bien des personnes n'en consomment pas ou très peu. Il est donc évident que certaines d'entres elles doivent en consommer bien plus que la moyenne. À raison de 500 mg de phosphore par portion, imaginez combien ces personnes en ingèrent.

Pour un apport adéquat en ce minéral, il est important de favoriser plutôt les aliments qui en contiennent d'une façon équilibrée. On le retrouve principalement dans les noix et les graines, dans les céréales entières, la levure de bière, le germe de blé et le son. La plupart des aliments riches en protéines en sont aussi d'excellentes sources : les viandes, le poulet, la dinde, les poissons, les œufs.

**Le magnésium**, comme pour le calcium et le phosphore, se retrouve principalement dans les os, soit 65 %. On en retrouve aussi dans les tissus mous et les liquides de l'organisme. Le magnésium est très important, car il intervient dans plus de 300 réactions enzymatiques comme cofacteur. On le retrouve entre autres dans la production d'énergie et dans la fonction cardiaque.

Voici quelques autres fonctions du magnésium dans l'organisme :

- permet le transfert des éléments nutritifs à travers la membrane de la cellule
- agit comme relaxant musculaire
- régularise la tension artérielle
- antispasmodique des artères, il permet donc la libre circulation de l'oxygène vers le muscle cardiaque (prévention de crise cardiaque, d'angine)
- empêche le calcium d'entrer dans les tissus mous, évitant leur contraction (cœur, reins, etc.)

● joue un rôle important dans le maintien du potassium à l'intérieur de la cellule

● **B. J.** est indispensable au système digestif et au système nerveux. Laxatif naturel.

## Il est indiqué dans certaines conditions pour empêcher :

● troubles de santé des os et des dents
● problèmes d'anxiété, angoisse
● hyperactivité
● fatigue chronique
● hypertension artérielle
● angine
● asthme bronchique
● mucus, etc.

## Une déficience de ce minéral est principalement due :

● à une diète riche en phosphore et en supplément de calcium et de vitamine D de mauvaise qualité, et sans magnésium

● à des sols acidifiés par les pluies acides, bourrés de chaux, d'engrais chimiques qui diminuent la disponibilité du magnésium pour les plantes

● au raffinage des aliments qui les dépouille de leur qualité nutritive en magnésium

● de plus, certains aliments en favorisent l'excrétion rapide : le café, le sucre et les diurétiques

Favorisez les légumes vert foncé, riches en chlorophylle donc en magnésium (l'ion central de la chlorophylle étant un ion de magnésium) qui en sont d'excellentes sources. Optez également pour les noix et les graines, les légumineuses, les dérivés du soya.

**Le potassium** joue un rôle très important dans l'organisme. Il assure les fonctions électriques dans la cellule. C'est lui qui permet la transmission de l'énergie électrique de cellule en cellule (essentielle pour maintenir un rythme cardiaque régulier ainsi qu'une régulation de la contraction musculaire). Le cœur et les reins sont des organes de potassium. Ce dernier agit comme un poisson vidangeur dans notre corps. Il nettoie. Le jour où l'on meurt, c'est quand les réserves sont épuisées, le cœur cesse de battre. Pour que l'énergie puisse passer dans le cœur, il faut du potassium. Si nous n'en avons plus, l'énergie ne va pas plus loin.

Il travaille aussi, avec son complice de toujours, le sodium, pour maintenir le système de transport actif entre l'extérieur et l'intérieur de la cellule et vice versa (on les surnomme « pompes à Na+ K+ »). Pas de pompe, pas de transport. Le potassium est principalement à l'intérieur et le sodium, principalement à l'extérieur de la cellule.

En résumé, le potassium :

- est indispensable au maintien de quantités normales de liquide dans toutes les cellules. Sans lui, la cellule se gorgerait d'eau jusqu'à l'éclatement
- est essentiel dans l'équilibre acidobasique avec le sodium (maintien d'un pH sanguin normal)
- permet la transmission nerveuse (permet l'impulsion électrique, par exemple, rythme cardiaque)
- favorise le fonctionnement adéquat des reins et des surrénales
- favorise la synthèse des protéines (assure la croissance et le développement des muscles) et bien d'autres fonctions

## La carence en potassium se manifeste par :

- faiblesse musculaire, crampes aux jambes
- fatigue
- dépression, confusion, perte de mémoire
- hypertension, arythmie (irrégularité du rythme cardiaque) et défaillance cardiaque
- constipation
- perte de cheveux
- difficulté à relaxer, à dormir

## Les principales causes de déficiences sont :

- hyperacidité persistante qui nécessite l'utilisation continuelle de minéraux tampons comme le potassium
- la diarrhée, les vomissements et autres problèmes gastro-intestinaux qui persistent tels que la maladie de Crohn, la colite ulcéreuse
- problèmes rénaux, diabète
- prise de certains médicaments tels que les diurétiques
- emploi prolongé de laxatifs
- aspirine, digitaline, cortisone (on comprend mieux l'apparition de l'enflure qui l'accompagne)
- exercices violents (transpiration)

On le retrouve facilement dans l'alimentation, dans tous les légumes et fruits frais : les laitues, les épinards, le brocoli, les fèves de Lima, les pommes de terre avec pelure, la banane (toujours manger seule), la pomme, les raisins, les abricots, l'avocat. On le retrouve aussi dans le vinaigre, dans le concentré de petit-lait de chèvre (riche en sodium-potassium).

**Le sodium** est un minéral important qui travaille en collaboration avec le potassium. Il se retrouve principalement, soit
à 60 %, à l'extérieur de la cellule (sang, plasma, liquides du
corps) et le reste dans le squelette.

### Les principales fonctions du sodium sont :

- indispensable au transport de différentes substances
  (acides aminés, sucres, ions minéraux, etc.), de
  l'extérieur vers l'intérieur de la cellule
- comme le potassium, le sodium intervient dans
  l'équilibre acidobasique
- maintient la pression osmotique permettant ainsi
  le maintien de l'équilibre des liquides (empêche la
  déshydratation ou l'œdème)
- permet la production d'acide chlorhydrique dans
  l'estomac
- Digestion : l'estomac est un organe de sodium. Il a
  besoin de lui pour bien digérer
- Assimilation : dans l'intestin grêle (le petit intestin
  qui mesure environ onze mètres), il favorisera
  l'assimilation
- Articulation : le coussin gélatineux et les vertèbres
  sont faits de sodium. Avez-vous remarqué quand vous
  faites de la soupe avec des ossatures de veau ou de
  poulet, une fois refroidi, le bouillon est gélatineux?
  C'est ça le sodium. Dans les campagnes, autrefois,
  l'alimentation était plus riche en bon sodium.

### Principales conséquences d'une déficience en sodium :

- achlorhydrie (manque d'acide chlorhydrique dans
  l'estomac)
- nausée, perte d'appétit
- ulcère d'estomac
- crampe musculaire

- déshydratation
- mauvaise mémoire
- arthrite

### Principales conséquences d'une présence excessive de sodium (particulièrement le sodium inorganique) :

- hypertension artérielle
- œdème
- problèmes rénaux
- œdème de grossesse (rétention du sodium)

### Les meilleures sources de « bon » sodium sont :

Produits de la mer, bœuf, volaille, céleri, betterave, carotte et artichaut. Les algues en sont de bonnes sources (varech, petit goémon, etc.). L'extrait de petit-lait de chèvre déshydraté.

### Les mauvaises sources sont :

Chlorure de sodium (sel de table), aliments préparés industriellement : les croustilles, les sauces, les craquelins, les marinades, les charcuteries, les bouillons préparés, le bicarbonate de soude, le glutamate monosodique (MSG utilisé comme agent de conservation dans pratiquement tout ce qui est fabriqué par l'industrie alimentaire ou utilisé dans les restaurants à buffet et autres).

**Le chlore** est un minéral très important. Il se retrouve principalement à l'extérieur de la cellule associé au sodium.

### Les principales fonctions du chlore sont :

- maintien de l'équilibre des liquides
- régulation de la pression intra et extracellulaire

- maintien de l'équilibre acidobasique (pH sanguin et tissulaire)
- rôle important dans la fabrication de l'acide chlorhydrique dans l'estomac (pour une meilleure digestion stomacale)
- **B. J.** nettoyage de l'organisme. Élimine, rafraîchit et désinfecte. Purifie la lymphe. Germicide.

## Les causes possibles de déficience :

- perte excessive de sodium; diarrhée, transpiration excessive (canicule), sports violents
- vomissements fréquents
- ingestion de cortisone à long terme
- vieillissement des cellules sécrétrices de l'estomac (cellules sécrétrices d'acide chlorhydrique)

On retrouve le chlore principalement dans les légumes verts, les algues, les olives, le seigle, le céleri et le gingembre, le sel de mer, le lait de chèvre, les poissons, la betterave, les figues séchées, le concombre, la carotte.

**Le fer** est présent dans le sang, mais emmagasiné dans le foie pour une éventuelle utilisation. Comme le corps n'élimine pas l'excédent, une quantité excessive de fer peut être dommageable pour l'organisme.

**B. J.** Le fer sert à promouvoir la vitalité et l'ambition. Il attire l'oxygène.

## Les principales fonctions du fer sont :

- participation à la respiration cellulaire et à la production d'énergie
- principal constituant de l'hémoglobine (le fer étant l'atome central)
- transport de l'oxygène par les globules rouges

### Les éléments qui empêchent l'absorption du fer :

- la caféine du café et les tanins du thé
- certaines substances des céréales (donc à consommer modérément)
- l'excès de phosphore (boissons gazeuses, eau gazéifiée, etc.)

### Les causes possibles de déficience :

Tous les saignements entraînent une perte de fer :
- menstruation abondante
- ulcère gastrique, duodénal ou intestinal
- dons de sang réguliers
- hémorragie
- surconsommation d'éléments qui empêchent son absorption

### Les symptômes d'une déficience en fer :

- anémie
- faible résistance à l'infection
- problèmes de concentration et de productivité, dégoût du travail
- diminution des capacités d'apprentissage; déficit d'attention
- faible tolérance au froid, difficulté à régulariser la température du corps
- fatigue, faiblesse
- syndrome de l'impatience des jambes

### Les meilleures sources de fer sont :

Foie, œuf, poisson, volaille, germe de blé, mélasse noire, concentré de cerises noires, concentré de sirop de riz brun.

Ce sont les principaux minéraux dont le corps a besoin pour fonctionner. Les autres, sous forme de trace, sont aussi importants les uns que les autres puisqu'ils travaillent en collaboration, mais ils sont présents en plus petite quantité, on les appelle les oligo-éléments.

**L'iode** est un des éléments indispensables à la vie principalement pour un fonctionnement optimal de la glande thyroïde. Il est d'autant plus important, car, de nos jours, les sols en sont très appauvris, donc il faut prioriser les aliments qui en sont riches (il y a de plus en plus de problèmes de glande thyroïde diagnostiqués).

### Les principales fonctions de l'iode sont :

- constituant principal de l'hormone thyroïdienne (T4)
- constituant principal de l'autre hormone thyroïdienne (T3)
- ces deux hormones régularisent le métabolisme basal

### Les causes possibles de déficience :

- alimentation pauvre en aliments riches en iode
- surconsommation de produits excitants (café, thé, chocolat)
- toxicité élevée de l'organisme, ce qui nécessite un travail plus ardu de la glande thyroïde et l'épuise
- surconsommation d'aliments goitrogènes (soya, arachides, millet, familles des choux : chou, chou-fleur, brocoli, radis, rutabaga, navet)

### Les symptômes d'une déficience en iode :

- goitre (gonflement à la base du cou)
- prise de poids sans raisons apparentes
- yeux qui peuvent être exorbités

- baisse de la température persistante le matin
- fatigue, léthargie
- épaississement de la peau
- cheveux ternes et secs
- facultés mentales affaiblies

## Les meilleures sources d'iode sont :

Produits de la mer; poissons, fruits de mer, algues marines (varech, petit goémon, fucus vésiculeux), œuf, poivron, ananas, carotte, poire, oignon, tomate, pain de blé entier, champignon, pelure de pomme de terre, ail, jus d'ortie.

Cette description sommaire des principaux minéraux se voulait un survol de leurs principales fonctions biochimiques dans l'organisme afin de vous éveiller à la complexité de leurs tâches et à leur indispensable présence dans l'organisme.

En résumé, on pourrait associer aux minéraux les propriétés suivantes :

| | |
|---|---|
| *Calcium* | *bâtisseur de fondation solide* |
| *Carbone* | *constructeur* |
| *Chlore* | *nettoyeur* |
| *Hydrogène* | *hydratant* |
| *Iode* | *métaboliseur* |
| *Fer* | *cheval fringant* |
| *Magnésium* | *relaxant* |
| *Fluor* | *résistant* |
| *Manganèse* | *élément de l'amour* |
| *Azote* | *rétenteur* |
| *Oxygène* | *donneur de vie* |

Tous les minéraux ont une charge électrique (ionique). On dit qu'ils sont colloïdaux, ioniques, en suspension, comme les minéraux dans l'eau de mer. Ils contribuent à mieux faire circuler l'énergie (ionique et organique) et permettent ainsi de potentialiser le travail de certains organes ou glandes :

| | |
|---|---|
| *Le pancréas a besoin de :* | *silicium, chrome, vanadium* |
| *Le foie a besoin de :* | *sodium, fer* |
| *Les muscles ont besoin de :* | *potassium* |
| *L'estomac a besoin de :* | *sodium, chlore* |
| *Le côlon a besoin de :* | *magnésium, silicium* |
| *Le cerveau a besoin de :* | *acides gras essentiels, phosphore* |
| *La peau a besoin de :* | *silicium, cuivre* |
| *Le cœur et les reins ont besoin de :* | *potassium* |
| *glande thyroïde a besoin de :* | *iode* |

## La supplémentation en vitamines et minéraux : escroquerie ou besoins réels?

Il existe beaucoup de controverse par rapport à la supplémentation. Certains affirment que la supplémentation est inutile, voire nuisible, d'autres la considèrent comme un outil essentiel pour, comme le mot le dit si bien, *supplémenter*, ajouter les éléments nécessaires en présence de carences nutritionnelles ou pour soutenir l'organisme en période de maladies.

Il est évident que **l'alimentation demeure le centre d'approvisionnement** des éléments nutritionnels pour l'organisme dans la mesure où elle est saine, biologique, vivante et variée (expliquée ci-dessus). Malheureusement, ce n'est pas la réalité pour plusieurs d'entre nous. La vie actuelle nous confronte à être en *mode accéléré* et l'alimentation au quotidien s'en voit aussi compromise.

De plus, on le sait, les épreuves de la vie, les chocs émotionnels que l'on peut vivre nous vident de notre énergie. Quand nous ne sommes pas en réserve de minéraux et que nous vivons des épreuves, c'est là où il y a un danger de développer des maladies importantes. L'organisme, pour faire face à ces stimulations venant de l'extérieur, a besoin d'éléments qui permettront aux glandes ou organes impliqués dans la réception de l'information et dans les réponses à donner de ne pas se vider complètement et d'avoir la capacité de répondre adéquatement à une nouvelle sollicitation.

Donc, à moins d'avoir une rigueur hors du commun, des connaissances sur ce qu'est vraiment une alimentation saine, vivante et variée et le temps pour appliquer tout cela, la supplémentation devient nécessaire pour combler les carences occasionnées par ce rythme-là.

Ce n'est pas un compromis qui vise à favoriser le sauvetage d'une alimentation désuète par la supplémentation, mais plutôt le constat que même une alimentation saine **(les aliments étant cultivés dans des sols de plus en plus appauvris en minéraux et oligo-éléments et très acides, loin des bord de mer, aspergés de produits toxiques)** ne peut nécessairement combler tous les besoins nutritionnels quotidiens. De plus, en période de malaises ou maladies, le corps peut être soutenu par certains éléments de la nature pour son retour à l'équilibre contrairement à la médication qui, elle, souvent, remplace l'organisme dans sa fonction de retour à la santé.

**En naturopathie, nous reconnaissons le pouvoir auto-guérisseur de l'organisme et notre objectif est de le supporter et non pas de l'aliéner! La guérison est une fonction biologique propre à l'organisme. Nous sommes créés ainsi. Elle n'appartient à personne ni même aux spécialistes.**

## Distinction entre minéraux organiques et inorganiques

*Essentielle dans le choix de vos suppléments vitaminiques :*

Les minéraux se présentent sous deux formes, soit la forme inorganique (roche, pierre, etc.) ou la forme organique (plante, légume, etc.). Pour être plus explicite, voici l'explication quant à l'origine des minéraux et à leur transformation afin qu'ils nous soient accessibles. Sur la terre, il y a de la terre arable. Vous connaissez cette partie riche en minéraux végétales? Dans la forêt, ce sol arable est plus épais que dans un champ de culture. Pourquoi? Parce que dans la forêt, la décomposition des arbres morts qui jonchent le sol, et celle des êtres vivants qui y habitent et qui finissent par y mourir, contribue à nourrir le sol en minéraux et à entretenir les autres résidents de cet écosystème. Mais les minéraux qui y sont présents sont inorganiques, c'est-à-dire qu'ils ne possèdent pas d'atome de carbone dans leur composition, ce qui les rend inaccessibles à la cellule animale ou humaine. Sans transformation préalable, ils sont inutiles et même nuisibles. Ce n'est que par l'intervention de la végétation, qui suit le cycle du carbone, que les minéraux puisés dans le sol sont transformés sous forme organique et colloïdale (c'est-à-dire 700 fois plus petites que la cellule) et deviennent disponibles.

Ce cycle du carbone, qui consiste à apporter les conditions nécessaires à la croissance du règne végétal (chaleur, soleil, et eau) favorise une croissance adéquate et équilibrée des végétaux et l'utilisation des éléments disponibles dans le sol où ils évoluent. Si l'on analysait en laboratoire la composition biochimique des minéraux organiques, on y trouverait, à la base, des atomes de carbone.

Donc, lorsque vous décidez de vous supplémenter, il est essentiel de n'utiliser que des suppléments de vitamines ou de minéraux qui ont été conçus à partir d'aliments ou d'éléments de la nature riches en ces éléments, car non seulement ils ne servent à rien, mais vous intoxiquez vos cellules. Nous ne ferons jamais de surdose en mangeant cinquante brocolis dans une journée, vingt céleris, dix pommes. Au contraire, le corps va utiliser ce qu'il a besoin pour le travail de la digestion et stocker le reste des minéraux dans les muscles et les os. Par contre, vous pourriez vous intoxiquer à consommer des multi-vitamines et minéraux de mauvaise qualité, car, pour la plupart, ils sont inorganiques.

Fait à noter : Dans un sol faible en minéraux, les légumes et les fruits poussent faibles et déminéralisés et sont la cible des insectes; la nature les ayant créés spécifiquement pour cela. Sur un sol déminéralisé, tous les insectes voudraient attaquer une carotte malade, déficiente, pour la décomposer. Mais l'incompréhension humaine de la nature en plus de l'obligation d'une productivité concurrentielle incitent et favorisent l'utilisation d'herbicides et de pesticides contournant ainsi les moyens naturels que la nature nous offre pour rétablir l'équilibre : les plus faibles devant être éliminés.

La nature est ainsi faite. L'ordre, la marche à suivre, c'est la nature qu'il l'a établi. On peut déroger à l'occasion, mais la cellule, tôt ou tard, par le biais de l'organe, de la glande ou du tissu qu'elle compose, nous indiquera qu'elle n'a plus la capacité de fonctionner dans ces conditions. L'apparition de malaises, d'inconforts, de maladies, de maladies dégénératives, de cancers sera des manifestations cellulaires concrètes pour nous dire que rien ne va plus.

Il est vrai, par contre, qu'il y a aujourd'hui sur le marché mondial une multitude de choix de produits de multi-vitamines et minéraux dits naturels. Malheureusement, ils ne sont pas tous utilisables par l'organisme et, de plus, ils peuvent être intoxicants. Mais comment s'y retrouver? En vous expliquant la provenance de ces nutriments essentiels, vous en comprendrez mieux la différence et l'impact qu'ils ont sur notre organisme. Si nous prenons l'exemple du calcium acheté couramment à des prix dérisoires, il provient habituellement de différentes sources d'éléments contenant ce minéral mais pas toujours facilement assimilable ou pas du tout. Par exemple, le lactate de calcium, de la craie, à long terme, obstrue les villosités de l'intestin grêle et crée des dépôts dans le côlon, ce qui entraîne une constipation.

Dans les laboratoires, on peut tout imiter aujourd'hui, mais pour que les minéraux puissent donner du rendement

au niveau cellulaire, il y a des lois que l'on ne peut trans-
gresser et certains scientifiques ont compris le principe et le
respectent, mais très peu l'ont compris. Les minéraux inorganiques ne peuvent pas rebâtir le corps.

**Alors, ne choisissez que les compagnies qui peuvent
vous fournir les garanties nécessaires quant aux composantes de leurs formules vitaminiques, minérales, anti-
oxydantes, etc.** (nous en reparlerons un peu plus loin).

# Chapitre 3

## *Le fonctionnement du système digestif*

Avant de commencer ce chapitre, il est important de noter que chaque individu a sa propre capacité digestive. Il naît avec un bagage génétique bien spécifique qui régira les différents métabolismes (glucides, lipides, protides) et les capacités d'absorption et d'assimilation des aliments qu'il ingère. On appelle cette particularité « l'individualité biochimique où chaque individu est unique ». Par contre, la « mécanique » reste la même pour tous. Voici donc une explication sommaire du fonctionnement du système digestif qui va vous permettre d'aller à l'essentiel et qui vous permettra d'intervenir efficacement.

La digestion commence préalablement dans le cerveau (phase céphalique), car c'est de là que le signal est déclenché pour la préparation de la digestion : sécrétions enzymatiques par la salive, l'estomac, le foie et le pancréas et production d'acide chlorhydrique par les cellules de l'estomac.

Ensuite, c'est grâce au tube digestif, qui part de la bouche et qui va jusqu'à l'anus, que seront acheminés les aliments ingérés pour qu'ils puissent être pris en charge par un système complexe de dégradation, de transformation et d'évaluation avant d'être prêts, classés conformes et non toxiques pour la cellule; l'objectif étant de fournir les nutriments essentiels à son bon fonctionnement. Donc, de la bouche à l'anus, il n'y a pas de séparation (à part les différents sphincters qui délimitent les parties du tube digestif), c'est comme un long fleuve qui permettra d'acheminer, d'absorber et d'assimiler les différents nutriments essentiels à la vie.

La digestion commence donc dans la bouche où la mastication, qui défait en partie les aliments et qui les imbibe d'enzymes (principalement l'amylase), amorce la digestion et prépare les aliments pour l'estomac.

Vient ensuite l'œsophage, tube qui permet aux aliments de passer de la bouche à l'estomac. Suit l'estomac, sorte de poche qui reçoit les aliments et qui les décompose en plus petites particules à l'aide de l'action conjointe de l'acide chlorhydrique et des sucs gastriques et des enzymes (amylase, pepsine, etc.). Le contenu final, qui se nomme le bol alimentaire, sera ensuite acheminé dans l'intestin grêle.

À noter : Le temps de séjour dans l'estomac des différentes catégories d'aliments varie selon leur composition. En général, l'estomac se vide en moins de quatre heures après le repas. Ensuite, lorsque les aliments sont prêts à passer à la prochaine étape, le pylore, sphincter qui sépare l'estomac du duodénum, s'ouvre et laisse passer le bol alimentaire dans l'intestin grêle. C'est là où principalement a lieu l'absorption des nutriments (minéraux, vitamines, lipides, protides, glucides et autres nutriments qui nourriront les cellules) grâce à l'intervention préalable du foie et du pancréas qui déversent leurs sécrétions respectives (enzymes pancréatiques, sels biliaires, etc., qui finalisera le travail digestif.

La dernière section du tube digestif s'appelle le côlon, ou gros intestin, qui se divise en trois parties : le côlon ascendant avec à sa base l'appendice, à votre droite, le côlon transverse qui passe sous les côtes et le côlon descendant qui se termine avec le rectum et l'anus, à votre gauche, et qui mesure environ 1,5 mètre. C'est là que se termine le travail digestif réalisé par la flore intestinale (bactéries qui colonisent le côlon, qui s'occupent des résidus alimentaires et voient à la fabrication de certaines bactéries, certaines vitamines du groupe B; B12 entre autres, la vitamine K). La défécation élimine les produits finals : résidus de l'alimentation, bactéries mortes et résidus de bile (qui donne d'ailleurs la couleur aux selles).

En résumé, le temps alloué à la digestion des aliments se résume comme suit :

| | | |
|---|---|---|
| **Glucides simples** (sucre de l'aliment) | fruits, miel, sucre simple | passent rapidement dans le sang, approximativement en dix-huit minutes |
| **Glucides complexes** | céréales, pain, pâtes, légumes amidonnés (pomme de terre), riz, fruits, légumes crus | passent très vite dans le duodénum (une heure environ), entre une heure et une heure et demie s'ils ne sont pas mélangés, séjournent une demie heure à une heure dans l'estomac |
| **Protéines** | viande | séjournent de 3 à 5 heures |
| **Lipides** | huile, gras animal, produits laitiers | peuvent séjourner jusqu'à six heures |
| **Liquides** | eau, jus, jus de légumes | traversent habituellement très rapidement |

Ce temps est approximatif, car lorsque le côlon et l'intestin grêle sont encombrés et compactés de vieilles matières, il devient de plus en plus difficile d'avoir un bon transit et l'estomac a plus de difficultés à évacuer le chyme, l'estomac pouvant prendre jusqu'à dix heures pour se déverser dans le duodénum.

Donc, à la base d'une bonne digestion, d'une bonne transformation des aliments dans le tube digestif, les conditions suivantes doivent être au rendez-vous :

- Bouche : bonne mastication, bonne insalivation (surtout pour les hydrates de carbone et les glucides)

- Estomac : présence suffisante d'acide chlorhydrique et présence d'enzymes (amylase, pepsine, etc.)

- Grêle : présence suffisante d'enzymes digestives et de sels biliaires provenant du foie et du pancréas et suffisamment de sodium pour favoriser l'assimilation

- Côlon : flore intestinale performante

Certains minéraux doivent aussi être disponibles pour supporter le travail des organes digestifs :

- Estomac : chlore, sodium (chlorure de sodium)

- Foie : soufre, chlore, fer, sodium

- Pancréas : chrome, vanadium, manganèse

- Intestin grêle : chlorure de sodium

- Côlon : magnésium

## *Le Système digestif*

*Dans l'intestin,
il y a 88 % d'humidité
(37°C)*

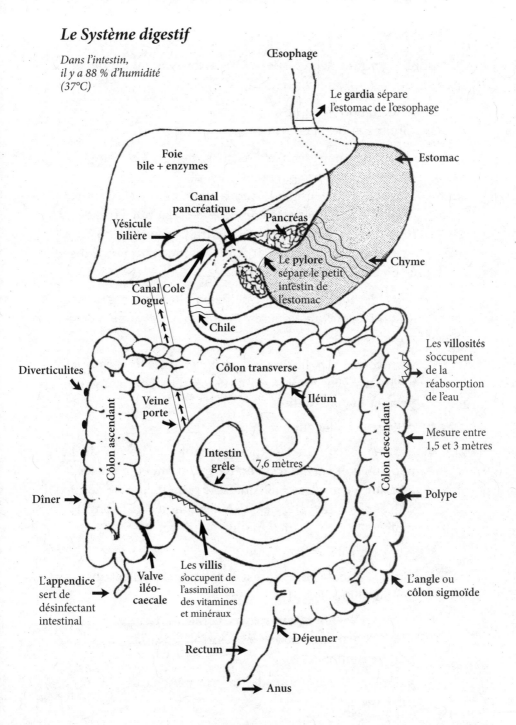

Œsophage

Le **gardia** sépare
l'estomac de l'œsophage

Estomac

Foie
bile + enzymes

Canal
pancréatique

Pancréas

Vésicule
bilière

Chyme

Le pylore
sépare le petit
intestin de
l'estomac

Canal Cole
Dogue

Chile

Les **villosités**
s'occupent
de la
réabsorption
de l'eau

Diverticulites

Côlon transverse

Iléum

Veine
porte

Mesure entre
1,5 et 3 mètres

Côlon ascendant

Côlon descendant

Intestin
grêle

7,6 mètres

Dîner

Polype

L'appendice
sert de
désinfectant
intestinal

Valve
iléo-
caecale

Les **villis**
s'occupent de
l'assimilation
des vitamines
et minéraux

L'angle ou
côlon sigmoïde

Déjeuner

Rectum

Anus

## L'estomac

Un adulte normal sécrète deux litres de suc gastrique par jour. Le suc gastrique contient :

1- acide chlorhydrique

2- mucine et deux enzymes : pepsine et lab – ferment

En plus, de nombreuses enzymes telles que l'amylase (comme la salive et le suc pancréatique qui digère les glucides), une saccharase qui dégrade le sucre blanc car ce sucre n'est pas assimilable sous cette forme; une lactase qui permet la digestion du sucre du lait et qui disparaît en général à l'âge du sevrage; une maltase qui agit sur le maltose, un suc qui se dédouble en molécules de glucose.

L'*acide chlorhydrique* agit principalement sur les glucides et la digestion de certains sucres. De plus, il a comme principales fonctions :

- transformer la fibrine du sang en une consistance visqueuse (la *fibrine* est une protéine du sang qui permet la coagulation

- gélifier le collagène

- assurer un pH acide indispensable à l'action de la pepsine (la *pepsine* n'est active qu'en milieu acide. Elle agit sur les grosses molécules de protéines. Elle donne naissance à des chaînes d'acides aminés qui sont des molécules plus petites et plus solubles)

- jouer un rôle antiseptique

- aider à l'absorption intestinale du calcium et du fer (en les solubilisant)

- stimuler la libération de la sécrétine dans le duodénum (hormone pour le contrôle de la sécrétion pancréatique)

- aider à l'absorption de la vitamine B12 (facteur intrinsèque)

*Conseils pratiques pour bien amorcer la digestion de l'estomac*

1) Pour bien digérer, l'estomac a surtout besoin de chlorure de sodium organique et d'enzymes. Puisqu'en vieillissant les cellules de l'estomac produisent de moins en moins de HCL, on peut aider en ajoutant soit un peu de vinaigre de cidre de pomme non pasteurisé ou consommer régulièrement du concentré de petit-lait de chèvre. On peut aussi ajouter des enzymes digestives pour refaire nos réserves.

2) Éviter les boissons gazéifiées au repas, privilégier l'eau à la température de la pièce.

3) Ne pas manger si vous êtes trop fatigué ou en colère, cela crée des toxines.

4) Respecter les heures entre les repas, de quatre à six heures.

5) Ne boire que de l'eau entre les repas, surtout si le repas précédant contenait des protéines.

6) Combinaisons alimentaires : indispensables pour les personnes très malades (nous en reparlerons plus loin).

7) Ne pas hésiter à prendre un ajout d'enzymes digestives. Il existe différentes sortes d'enzymes, pour toutes catégories d'âges et même pour les personnes ayant des problèmes d'estomac, par exemple ulcères, brûlements et reflux. Il s'agit de s'informer.

## Le foie et la vésicule biliaire

Le foie est un organe vital qui peut se régénérer plusieurs fois dans une vie dans un organisme exempt de matières organiques, non fonctionnelles (toxines) et équilibré en minéraux et autres substances indispensables au fonctionnement du corps.

Il a besoin d'une grande énergie, car il travaille continuellement (c'est l'énergie qui le régénère).

Le foie assume au-delà de 500 fonctions différentes. Principalement, il a comme fonction d'intervenir dans la dégradation des aliments par l'intervention de ses enzymes et de ses sels biliaires (il permet la transformation des protéines en acides aminés, et ce, grâce à l'acide chlorhydrique. Il permet aussi la fabrication d'hormones, le transport de certaines molécules (cholestérol, vitamines liposolubles A, E, D, K acides gras essentiels, etc.), mais l'un des importants, la détoxification des matières toxiques venant non seulement de l'extérieur (alimentation, air que l'on respire, etc.) mais aussi des substances entraînées par les différents métabolismes ou transformations des aliments, eau, médicaments (neutralise les résidus d'hormones, de médicaments, etc.).

**La vésicule biliaire** a pour rôle principal de fabriquer et de concentrer la bile. Elle se déverse par le canal cholédoque directement dans le duodénum avant d'entrer dans l'intestin grêle où elle y jouera un rôle important.

Composée principalement de cholestérol, de sels biliaires, la bile sert à émulsifier les gras (c'est-à-dire à les défaire en plus petites particules) pour qu'ils puissent être transportés et utilisés par la cellule. La bile sert aussi à expulser les déchets toxiques produits par le foie et cela dans l'intestin grêle. La quantité normale de bile sécrétée devrait être d'un litre toutes les 24 heures. Elle diminue en période de jeûne et augmente lorsqu'un régime est riche en graisses et en protides. Si la bile n'est pas sécrétée suffisamment ou si elle n'est pas assez concentrée, les gras qui vont arriver dans l'intestin grêle et qui n'auront pas été suffisamment émulsifiés seront réabsorbés par le sang et ces particules lipides non dégradés se retrouveront dans tout l'organisme. À moyen ou à long terme, plusieurs problématiques de santé pourront apparaître (augmentation de tissus adipeux, engorgement des tissus autour des organes, conditions inflammatoires, obésité, problèmes cardiaques, pour n'en nommer que quelques-uns).

On pourrait aussi ajouter, aux nombreuses tâches de la bile, l'absorption de la muqueuse intestinale des vitamines A, D, E, et K qui sont présentes dans les lipides, la protection de la muqueuse en favorisant la fluidité du mucus qu'elle sécrète et le maintien de l'équilibre de la flore intestinale s'opposant ainsi à la putréfaction et à la prolifération de certaines bactéries nuisibles.

De plus, la bile est une porte de sortie rapide des déchets toxiques des différents métabolismes et des agents intoxicants provenant de l'alimentation (pesticides, engrais chimiques, etc.) ou des éléments que l'on respire (pollution atmosphérique, nettoyeurs à peinture, colle, etc.). Plus le foie reçoit de ces produits chimiques, plus il devra y allouer temps et énergie pour neutraliser et éliminer, par le biais de la bile, ces substances. Parfois, quand la bile devient trop toxique, le corps choisit le vomissement pour éliminer rapidement plutôt que de la laisser descendre dans l'intestin grêle; le contenu, étant trop acide, peut irriter et endommager les parois fragiles de l'intestin grêle et du côlon.

Par contre, plus souvent qu'autrement, la bile emprunte le chemin le plus long mais le plus économique; l'énergie vitale étant limitée. Mais en passant par le grêle, les dommages dans les intestins seront plus grands; intestin irritable, gastro-entérites fréquentes, diarrhées chroniques, hémorroïdes, diverticules, colite ulcéreuse, maladie de Crohn, polypes, etc., sont le lot de cet excès de bile toxique où l'organisme, pour éviter une plus grande intoxication, cherche une autre voie d'accès pour la sortie des matières dangereuses. À cela s'ajoute les médicaments chimiques traditionnels pour contrer ces malaises qui vont inévitablement surcharger le foie et à nouveau maintenir non seulement la toxicité de la bile, mais la condition inflammatoire intestinale de la personne.

Un foie surchargé incapable d'accomplir correctement son travail entraîne directement l'organisme vers la maladie.

Mais comme les capacités hépatiques varient d'un individu à l'autre, certaines personnes tardent à ressentir les effets néfastes qu'ont certaines substances (alcool, tabac, alimentation désuète, etc.) sur la santé ou négligent certains symptômes qu'elles considèrent comme des malaises passagers. Ce n'est souvent qu'en présence de malaises apparents tels des pierres dans la vésicule biliaire, crise de foie, diarrhée chronique, reflux gastriques persistants, ulcères, etc., que les gens sont alertés.

La solution rapide : enlever la vésicule biliaire, enlever une partie de l'intestin, enlever les polypes, sans pour autant prendre leur santé en main; le malaise étant disparu. Mais ce n'est malheureusement qu'en apparence bien sûr, car en maintenant les mêmes conditions d'intoxication, d'autres symptômes apparaîtront tôt ou tard, souvent plus aigus et non dépourvus de conséquences.

## Le pancréas

Le pancréas, situé sous l'estomac, est un organe à double fonction. C'est d'abord une glande digestive exocrine qui déverse dans le duodénum le suc pancréatique produit par les acini (glandes sécrétrices), mais c'est aussi une glande endocrine qui déverse directement dans les capillaires sanguins l'insuline et le glucagon (hormone qui voit à l'équilibre du taux de sucre sanguin).

Le suc pancréatique est le plus important de tous les sucs digestifs, car il agit directement sur les hydrates de carbone, les protéines et les lipides, avec l'aide d'une dizaine d'enzymes.

Il contrôle l'absorption de la vitamine B12 intrinsèque par la muqueuse intestinale (vitamine qui préalablement fut activée par une protéine de l'estomac) ainsi que l'annulation de sa production lorsqu'elle n'est plus nécessaire. Le suc pancréatique intervient également dans le contrôle de l'absorption du fer lorsque celui-ci est en quantité suffisante; l'excès de fer pourrait être nuisible au système immunitaire et pourrait être une des causes de la multiplication des cellules cancéreuses.

Son autre rôle, tout aussi important, est l'équilibre du taux de sucre sanguin. C'est grâce à deux de ses hormones, l'insuline et le glucagon, que le pancréas permet l'entrée du glucose dans les cellules ou l'utilisation du glucose emmagasiné par le foie dans les tissus adipeux (tout excès de glucose dans le sang amenant automatiquement l'emmagasinage des surplus) pour une éventuelle utilisation (exercice physique intense, jeûne, etc.). C'est donc un organe indispensable mais qui, comme le foie, ne donne pas de signes directs de dysfonctionnement (douleurs spécifiques à l'organe lui-même) mais qui peut nous entraîner vers des maladies graves telles que le diabète, l'hypoglycémie, etc.

Pour protéger le pancréas, il est important de surveiller les repas trop fréquents, une trop grande consommation d'alcool, de protéines, de graisses et de sucre, d'aliments surcuits dépourvus d'enzymes. Nous retrouvons les enzymes dans tout ce qui est cru et vivant tels les fruits frais, les légumes crus, les germinations, les jeunes pousses, le lait et le fromage cru, la viande et dans le lait maternel. L'enzyme digestive a comme principal rôle de liquéfier la nourriture.

C'est la combinaison des enzymes de nos aliments et ceux en réserve dans notre foie et pancréas qui fait que la nourriture pourra être liquéfiée dans l'estomac.

Faites l'essai avec du gruau très épais, ouvrez une capsule d'enzymes, déposez-la dans le gruau, brassez et en quelques minutes le gruau sera clair comme de l'eau.

Alors, si vous mangez plusieurs tranches de pain ou un gros plat de pâtes alimentaires sans compléter avec des crudités ou des aliments riches en enzymes, ce ne sera pas étonnant que vous sentiez des lourdeurs après ce repas et que vous soyez obsédé par le sommeil. Le corps doit mettre beaucoup d'énergie à récupérer le peu d'enzymes disponibles et se voit contraint à solliciter le foie et le pancréas pour venir au secours de ce repas trop copieux et déséquilibré.

Il faut aussi faire attention aux aliments qui nous sont présentés sous forme de concentré; par exemple, dans un verre de jus de fruits, vous avez la quantité de sucre de plusieurs fruits. J'ai souvent vu de grands consommateurs de jus faire des pancréatites. Il vaut mieux manger des fruits frais plutôt que de boire du jus.

## L'intestin grêle

Nous avons mangé des aliments et les avons mastiqués. Ils sont descendus dans l'estomac qui les a liquéfiés avec l'aide des enzymes, des sucs gastriques et des minéraux. Maintenant, ce liquide poursuit son chemin vers l'intestin grêle, un long tube replié sur lui-même qui prend place au centre de l'abdomen.

Tout comme l'estomac, l'intestin grêle crée un mouvement continuel (péristaltisme) qui permet non seulement d'acheminer les aliments vers le côlon, mais qui va aussi compléter le travail du suc pancréatique et celui de la bile dans le but de permettre la digestion et l'absorption des aliments ingérés. Un repas devrait séjourner pas plus de quatre heures dans l'intestin grêle.

L'intestin grêle peut mesurer jusqu'à 10,7 mètres et il se subdivise en trois parties : le duodénum, le jéjunum et l'iléum ou l'iléon qui débouche dans le gros intestin.

C'est tout près du duodénum, dans l'ampoule de Vater, que convergent les canaux biliaires et pancréatiques et où se déversent les sécrétions indispensables à la digestion (bile, suc pancréatique) qui seront par la suite acheminées dans le duodénum. Lorsque le repas à bien été liquéfié, c'est par l'intermédiaire des vaisseaux sanguins qui tapissent les villosités (petits poils filiformes) de la paroi de l'intestin et par la succion créée par la pression engendrée par le cœur, que seront absorbés les nutriments indispensables à la cellule; les molécules de protéines, les lipides, les glucides, les minéraux, les vitamines ainsi que les substances non alimentaires telles que les produits chimiques, les médicaments, etc. Ils seront ensuite acheminés vers le foie qui doit d'abord filtrer toutes ses substances avant de les laisser aller jusqu'aux cellules avec les minéraux, les vitamines et l'oxygène.

Le foie veille à ce qu'aucun agent pathogène ou substances toxiques ou autres ne regagnent le circuit sanguin pour aller agresser la cellule. Il s'occupe aussi de transformer les produits toxiques et de refaire du matériel réutilisable. Sinon, il passe en deuxième phase de détoxification pour neutraliser les toxines.

Pour poursuivre avec l'intestin grêle, on peut mentionner que l'homme produit environ six à neuf litres de suc gastrique par jour, et neuf litres est vraiment une limite physiologique. Le suc sert principalement à préparer la nourriture en substances absorbables, car pour traverser la muqueuse intestinale, il faut que toutes les substances soient suffisamment petites. Les différents nutriments seront donc transformés :

- les hydrates de carbone en glucose
- les lipides en acides gras, glycérol, cholestérol
- les protides en acides aminés constitutifs

De plus, il est important de noter que dans le suc gastrique il y a aussi des leucocytes, globules blancs du sang, de la lymphe, qui agissent comme système de défense contre les microbes qui pourraient être présents dans les aliments ingérés.

Alors, lorsque nous mangeons trop ou que nous consommons beaucoup d'aliments dénaturés, les sucs digestifs ne fournissent plus à la demande et certaines molécules alimentaires, non digérées par le manque d'enzyme, deviendront la proie de bactéries présentes dans l'intestin qui s'occuperont, tant bien que mal, de gérer ces molécules transformées partiellement : leur rôle n'étant pas de digérer. Et beaucoup de problèmes découlent de ce processus inachevé. Une fois que l'intestin grêle a effectué tout son travail, les fibres vont maintenant traverser le côlon et être éliminées.

Il existe, dans l'intestin grêle, des billiards de villosités fragiles agressées quotidiennement par un chyle très toxique et irritant. Quand on parle de maladies inflammatoires intestinales telles que la maladie de cœliaque, la colite ulcéreuse, la maladie de Crohn, ce sont ces villosités, qui s'étendent sur toute la muqueuse intestinale du grêle, qui sont endommagées ou qui sont disparues.

Elles sont usées par l'acidité causée par une alimentation pauvre en enzymes, dénaturée et irritante par le fait même. Quand on parle d'aliments acidifiants, la liste est longue; le blé, les produits laitiers, le pain et les pâtes faits de farine blanche, les friandises, le café, les boissons gazeuses brunes, le vinaigre blanc, les médicaments chimiques, la bile toxique, tout cela entretient l'irritation des muqueuses dans les intestins. Quand le terrain est moindrement surchargé de vieilles matières acides, la personne, dans ces conditions, réagit par une diarrhée, ou des crampes intestinales, au moindre aliment acidifiant. Les gens se plaignent souvent qu'ils mangent des aliments crus et qu'ils ont mal à l'intestin et continuent de manger des aliments cuits au lieu de persévérer. Il faut juste comprendre que les aliments vivants, riches en fibres, grattent et nettoient. Une personne avec un intestin propre peut manger de grandes quantités de légumes sans connaître ces réactions de crampes et de diarrhée. Les personnes qui réagissent aux légumes crus doivent se dire qu'elles ont bien du ménage à faire et la persévérance doit être au rendez-vous; cela en vaudra la peine.

C'est une période à passer, c'est tout. Les irrigations du côlon permettent d'éliminer plus vite tous ces acides. Ceux qui ont trop de malaises en mangeant plus cru et vivant doivent commencer avec des légumes cuits à la vapeur, encore croustillants, et augmenter graduellement le « cru ».

Définitivement, nous mangeons dans notre société moderne trop d'aliments qui sont totalement dépourvus d'enzymes qui à la longue endommagent nos fragiles villosités tout le long de la paroi de l'intestin grêle.

## Le côlon

Le côlon est la dernière partie du système digestif. Il se divise en quatre parties; le côlon ascendant, le côlon transverse, le côlon descendant et le sigmoïde. Il se termine par le rectum où a lieu l'expulsion des matières fécales; c'est d'ailleurs le principal rôle du côlon.

Les résidus d'aliments qui proviennent de l'intestin grêle vont donc terminer leur périple dans le côlon où ils seront pris en charge par les bactéries côlonisant la muqueuse intestinale. Il n'y a plus de digestion proprement dite d'aliments dans le côlon, par contre, certains minéraux seront absorbés par la muqueuse intestinale, entre autres les sels minéraux (en particulier le chlorure de sodium) et certaines vitamines seront synthétisés par les bactéries de l'intestin; vitamine K, vitamine du groupe B (entre autres la B12). Les glucides, eux, termineront leur séjour dans le côlon ascendant où une flore bactérienne de fermentation terminera le travail. Les protides eux seront pris en charge par une flore de putréfaction dans le côlon transverse.

Et pour terminer, l'eau sera réabsorbée, filtrée et réutilisée pour constituer éventuellement la lymphe ou liquide interstitiel (liquide transparent qui entoure les cellules).

Le produit final : résidus alimentaires non digérés, mucus, débris de cellules mortes, de millions de bactéries mortes et de la bile. On devrait éliminer par jour le nombre de repas ingérés dans la journée. Donc, en moyenne, on devrait avoir deux à trois selles par jour.

Mais pour que le côlon soit fonctionnel, il est indispensable que les repas que l'on ingère soient composés d'aliments riches en eau, en fibres et en enzymes, comme les fruits et les légumes frais, les germinations, etc., car le rôle de l'enzyme est de liquéfier les aliments et de les défaire en plus petites particules, et la fibre, quant à elle, sert à gratter ou à nettoyer les parois du côlon. Sans la présence de ces éléments à chaque repas, l'évacuation des selles sera difficile, voire absente (constipation), les selles seront salissantes et très odorantes. Il est donc essentiel, pour permettre un transit intestinal régulier et correspondant au volume d'aliments ingérés, que l'on retrouve fibres, eau et enzymes, sinon nos déchets stagnent dans l'intestin et cela parfois pendant plusieurs jours, plusieurs semaines, et créent des gaz toxiques qui nous empoisonnent petit à petit.

Les meilleures sources de fibres ne proviennent pas du pain, des pâtes, des légumes cuits, car leurs fibres ramollies ne sont plus efficaces et, au contraire, elles collent aux parois du côlon. Nos aliments devraient nous nourrir et nous nettoyer en même temps. Les aliments crus tels les légumes, les fruits, la germination, font ce genre de travail. L'aliment cru nous donne des minéraux, des vitamines, des enzymes et des fibres pour nettoyer notre poubelle qu'est le côlon. La vie donne la vie.

Pour terminer, j'aimerais ajouter un petit volet plus spécifique sur les enzymes puisqu'elles ont un rôle indispensable non seulement sur le plan de la digestion, mais aussi dans d'innombrables réactions chimiques.

## *Principales zones réflexes du côlon*

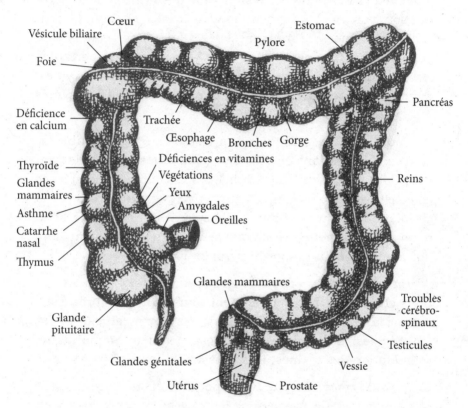

Cœur

Vésicule biliaire

Estomac

Pylore

Foie

Pancréas

Déficience en calcium

Trachée

Œsophage

Bronches

Gorge

Déficiences en vitamines

Thyroïde

Végétations

Reins

Glandes mammaires

Yeux

Asthme

Amygdales

Catarrhe nasal

Oreilles

Thymus

Glandes mammaires

Troubles cérébro-spinaux

Glande pituitaire

Testicules

Glandes génitales

Vessie

Utérus

Prostate

**D'après N. W. Walker**

## Les enzymes

Les enzymes sont de grosses molécules protéiques (protéines) présentes chez tous les êtres vivants, des bactéries aux baleines, en passant par les plantes. Ce sont les chimistes de la nature.

**Toute l'activité de la matière vivante dépend d'elles.**

Depuis le moment de la conception, elles jouent le rôle suprême dans tous les processus vitaux. Elles sont indispensables, car elles interviennent dans d'innombrables réactions chimiques essentielles à la vie, que ce soit la dégradation des aliments, l'absorption et l'assimilation des nutriments, la production d'énergie, la fabrication et la transformation de nouvelles substances, la transmission de l'influx nerveux, la coagulation sanguine, etc. Elles sont toutes aussi importantes les unes que les autres. Il existe plusieurs sortes d'enzymes, mais nous nous attarderons principalement aux enzymes digestives.

Tous les aliments que nous consommons sont absolument indigestes tant que les **enzymes digestives** ne les ont pas attaqués et n'ont pas réduit leurs assemblages complexes en constituants plus simples qui peuvent être absorbés par la circulation sanguine. Sans les enzymes, nous aurions beau nous gorger de nourriture, nous péririons d'inanition ou alors nos aliments nous empoisonneraient rapidement.

En un éclair, les **enzymes** effectuent de nombreuses réactions chimiques qui interviennent dans différents processus comme la digestion, le métabolisme des sucres (glucides), des gras (lipides), des protéines (protides), le système immunitaire, l'élimination des toxines, le processus de réparation, etc.

Les **enzymes, de par leur spécificité,** ne se contentent pas seulement de fragmenter les molécules, certaines vont également synthétiser de nouvelles substances dans le cas où il y aurait absence de certains nutriments.

C'est pourquoi il est essentiel que les enzymes dans l'organisme soient présentes suffisamment pour favoriser un fonctionnement optimal de l'organisme. Malheureusement, aujourd'hui, nos habitudes alimentaires contribuent à favoriser une grande déficience en enzymes, car ce que **nous faisons subir à nos aliments** (cuisson à haute température, friture, mets préparés, légumes en conserves, etc.) **contribue à éliminer une grande partie** voire **la totalité des enzymes** qui devraient y être présentes naturellement.

De plus, nos rythmes de vie accélérés nécessitent une utilisation maximale d'enzymes pour répondre aux différents besoins des systèmes sollicités et de fait épuisent nos réserves.

**Conséquences immédiates :** gaz – ballonnements – mauvaise digestion – lourdeur après les repas – constipation – selles collantes – foie enflé – manque d'énergie – intolérances alimentaires, etc.

**Conséquences à long terme :** le corps, en manque d'enzymes, sollicitera les glandes, les muscles, les nerfs, le sang pour secourir le système digestif. Et à long terme, cela entraînera l'apparition de maladies chroniques telles que allergies, affections cutanées, obésité, troubles cardiaques, etc.

**Il faut donc dans nos habitudes alimentaires :**

- augmenter la consommation d'aliments vivants (éléments crus, germination, etc.) et de qualité (grains entiers, frais, etc.) car les enzymes y sont à leur meilleur

- se supplémenter d'enzymes, en favorisant celles qui proviennent de ces aliments riches en enzymes naturelles qui sont mises en poudre et encapsulées

- il est aussi important que tous les minéraux soient présents en quantité suffisante dans l'organisme pour que le travail des enzymes soit optimal

Il existe différentes sortes d'enzymes digestives. Les plus connues sont celles qui interviennent dans la digestion :

- **protéase :** décompose les protéines en acides aminés

- **amylase :** aide à digérer les hydrates de carbone en les décomposant en sucres simples

- **lactase :** aide à digérer le lait et les produits laitiers et peut aider à supprimer les intolérances au lactose

- **cellulase :** aide à digérer les fibres; on la trouve dans tous les légumes, mais elle n'est pas produite par l'homme ni par les animaux

- **lipase :** aide à digérer les graisses en les décomposant en acides gras essentiels et en les décomposant en plus petites chaînes d'acides gras tels les triglycérides

## Meilleures sources (supplémentation) :

Essentia (Actumus)

Kamizym « + » ou Kamizym « U » (pour ceux qui ont des ulcères gastriques)

## Meilleur temps pour prendre les capsules d'enzymes :

- une avant et une après les repas (si digestion plus difficile, une à deux capsules au coucher)

- pour les enfants : ouvrir les capsules et les intégrer dans la nourriture

## Meilleures sources alimentaires d'enzymes :

(car elles contiennent beaucoup de vitamines, de minéraux ainsi que de grandes quantités d'enzymes actives)

- germination (jeunes pousses)
- légumes crus
- céréales entières ou germées
- ananas* (bromeline) et papaye* (papaïne) digèrent les protéines
- avocat
- mangue*
- lactofermentation (à consommer en petites quantités)

- racine de réglisse (stimule la formation d'enzymes)
- banane* (manger seule)

*Ces aliments ne doivent pas être confits ou en présence de sulfites, car ils auront ainsi perdu toute leur vitalité.

Pour terminer, de nombreux savants pensent que beaucoup de maladies sont dues à l'altération des enzymes ou à leur absence.

Les enzymes sont donc d'une importance capitale dans notre alimentation pour que l'organisme puisse accomplir fidèlement les tâches qui lui ont été confiées.

## Les désordres digestifs

On peut entrer dans cette catégorie d'innombrables malaises, reflux gastriques, ulcères d'estomac, éructations après les repas, hoquet, lourdeurs après les repas, colite, diverticulites, polypes, côlon irritable, maladie de Crohn, pour n'en nommer que quelques-uns. Les problèmes digestifs surviennent quand les aliments commencent à fermenter dans l'estomac et sont occasionnés par plusieurs facteurs dont :

1- mastication insuffisante

2- mauvaises combinaisons alimentaires telles que féculents et sucre, féculents et fruits ou protéines et sucre

3- repas trop copieux

4- manque d'acide chlorhydrique dans l'estomac

5- matières grasses en abondance au repas

6- mauvaise élimination intestinale (accumulation de matières fécales dans le côlon, pression vers le haut du corps; foie, estomac, pancréas entassés)

7- matières qui stagnent dans l'intestin entretiennent un milieu irritant pour les muqueuses intestinales et endommagent les parois

8- toxémie avancée (nous en reparlerons dans le chapitre suivant)

Ce sont toutes des conditions qui peuvent contribuer à rendre la fonction digestive ardue et inconfortable. S'ajoute à cela l'ambiance dans laquelle sont pris les repas et les conditions psychologiques dans lesquelles on se retrouve (stress, émotion, deuil, anxiété, angoisse, etc.).

## Quelques conseils pour alléger le travail digestif

Sachez qu'une alimentation riche en glucides tels que les féculents (pain, pâtes, muffins, gâteaux, crêpes, céréales, etc.) détruit notre oxygène, épuise nos réserves d'énergie et favorise l'augmentation de la masse adipeuse (gras); l'excès de glucides étant transformé en gras par le foie pour une éventuelle utilisation. Ce que nous mangeons pour le petit déjeuner déterminera le niveau d'énergie de l'après-midi et du reste de la journée. Lassitude, fatigue, manque d'entrain, bâillements, épuisement, sont souvent les conséquences de ce genre de repas riche en glucides complexes. Pour bien commencer la journée, il faut des aliments remplis d'oxygène comme les fruits, les breuvages verts nutritifs, les céréales germées. Des boissons nutritives pour déjeuner, c'est vraiment l'idéal. Ce n'est qu'une question d'habitude et ce n'est pas plus long à faire avec un bon mélangeur. Pas plus long que de s'asseoir et de manger des céréales.

Sachez qu'idéalement, aux dires de grandes nutritionnistes, la meilleure façon de se nourrir serait de manger un aliment à la fois. Si nous choisissons des poires pour déjeuner, nous devrions nous en tenir à ce fruit. Ne pas mélanger pour éviter l'incompatibilité et les réactions chimiques entre les aliments. Dans un monde de consommation comme le nôtre, il est parfois difficile de respecter ce genre de règle, mais dans la mesure du possible, surtout si une personne est grandement malade, cela pourrait s'avérer souhaitable et utile de ne pas mélanger les aliments et de respecter les combinaisons alimentaires.

Sachez qu'après un repas, pour faciliter la digestion, une marche au grand air est un atout. L'oxygène est le meilleur ami de la digestion. Pour plusieurs d'entre nous, cette coutume fait partie de bien d'autres que nous avons mises au rancart. Pourtant, une grande marche fait toute la différence pour les problèmes digestifs.

Sachez qu'il est important de respecter les heures entre les repas, c'est-à-dire :

- un délai de quatre à six heures entre les repas serait l'idéal et ne boire que de l'eau. Boire en mangeant ou immédiatement après un repas dilue les sucs gastriques; attendre au moins une heure et demie après.

- manger aux deux heures épuise totalement le système digestif; ce sont souvent les recommandations qui sont données aux personnes souffrant d'hypoglycémie ou d'hyperglycémie, malheureusement, ce régime n'aide en rien, au contraire, il nuit. Il faut considérer qu'au départ, si une personne souffre d'hypoglycémie, c'est qu'il y a déjà un épuisement digestif. Tout le système digestif est en excès et ça commence par le côlon (un chapitre sera réservé à ce sujet).

- idéalement, ne rien manger avant de dormir, car la nuit, le corps passe en phase de nettoyage et de réparation. Alors, s'il est occupé à digérer, il reportera à plus tard le travail qu'il aurait dû accomplir.

- vous avez pris un repas copieux pour déjeuner vers sept heures, vous quittez pour le travail et, vers neuf heures, vous prenez un café en arrivant au bureau. Votre digestion est déjà commencée. Les enzymes et les sucs gastriques et tous les éléments sont là pour effectuer une très grande tâche : la digestion. Le fait de boire un café avec du lait (protéines et lipides) et du sucre à peine une heure ou deux après votre déjeuner interrompt la digestion en cours pour s'occuper de l'intrus qui nécessite un réajustement digestif. Je mentionne un café, mais si vous consommez un biscuit, ou un muffin, ou peu importe l'aliment, le travail déjà commencé va cesser temporairement, le temps de réévaluer son travail. C'est à ce moment là que la fermentation commence dans l'estomac, et où la problématique digestive va débuter.

Sachez que ce qui cause aussi les gaz d'estomac ou gonfle-ments, c'est la consommation de boissons gazeuses (liqueurs douces, eau gazéifiée, bière). Le gaz carbonique contenu dans ces boissons élargit l'estomac et donne la sensation d'avoir plus de place pour continuer à manger, mais la capacité digestive, elle, est dépassée.

De plus, non seulement ces gaz ne sont pas utiles pour les cellules, mais ils restent dans les tissus, ils s'infiltrent partout, surtout s'ils ne sont pas éliminés sous forme de rots ou de flatulences. Une autre source alimentaire qui contribue à la formation de gaz qui nuisent à la digestion, c'est l'ajout de levure chimique, de bicarbonate de soude dans les pâtis-series. Les mousses, les croustades, les desserts sans levure chimique sont toujours préférables pour ceux qui ne peuvent s'en passer...

Ce sont de nombreuses recommandations qui ne sont pas toujours faciles à intégrer dans nos habitudes alimentaires, mais leur raison d'être est indispensable si l'on veut conser-ver ou retrouver une santé optimale. Par contre, il est impor-tant d'ajouter que ces changements tardifs à trente, quarante, cinquante ans sont une belle initiative vers la santé, mais il ne faut pas oublier que pendant toutes ces années, il y a eu de grandes accumulations de déchets et il sera important de travailler, parallèlement à ces changements alimentaires, sur l'élimination de ces vieilles matières; sinon ce serait comme mettre du vin nouveau dans une bouteille sale. Idéalement, on devra aussi entreprendre des programmes spécifiques de nettoyage qui vont permettre d'éliminer ces vieilles matières accumulées dans le tube digestif (nous en reparlerons au chapitre suivant).

J'aimerais, pour terminer, vous faire part de mes réflexions par rapport à mes observations en clinique, mais aussi en rapport avec les gens qui m'entourent, sur l'impact qu'une alimentation désuète peut avoir sur les comportements.

J'ai toujours été très observatrice des comportements humains, et je le suis encore plus après avoir moi-même expérimenté plusieurs façons de me nourrir. Définitivement, le « cru » de 75 à 80 % me convient le mieux. Nous devrions avoir dans notre assiette ce pourcentage de légumes pour être oxygénés et actifs. Le contraire nous rend lents et peu productifs.

Une alimentation constituée principalement d'aliments cuits (morts) ne donne pas la vie ou n'entretient pas la vie, car la chaleur détruit les enzymes indispensables à l'utilisation des nutriments par notre organisme (elles sont actives seulement de 1°C à 40°C et au-dessus de 50°C, elles sont détruites. Donc, chaque fois qu'un repas est déséquilibré, l'énergie de nos muscles est sacrifiée pour se concentrer à l'intérieur sur la digestion, de là la fatigue et le manque d'énergie et d'ambition dans la vie.

Soyons réalistes. Quel plaisir y a-t-il à manger le matin deux muffins et un café et à aller atterrir devant un ordinateur dans une bâtisse où l'oxygène est à son minimum, puis à lutter contre le sommeil jusqu'au prochain repas qui sera néfaste et procurera la même sensation jusqu'à dix-sept heures? De retour à la maison amorphe, aigri, impatient, pressé de se débarrasser du quotidien, enfin on s'écrase devant le petit écran.

Le manque d'ambition et de courage au travail et ailleurs est lié en grande partie à ces mauvaises façons de se nourrir. Jour après jour, ces repas nous dévitalisent et nous amortissent. Dans les grosses compagnies, les distributrices de boissons gazeuses, de gâteaux, de croustilles et de chocolat font fortune. En mettre des semblables avec des fruits et des légumes changerait totalement la productivité des employés.

Ce ne sont pas seulement les adultes qui manquent de productivité aujourd'hui, même les enfants sont dans cet état. Moi, j'appelle ça « être gazés »! Quand l'homme est dans cet état perpétuel de lenteur et de fatigue, toute sa créativité et productivité en sont affectées. Nous sommes régulièrement sollicités à donner de l'argent pour la recherche de la cause des maladies dégénératives. Si nous prenions cet argent pour lutter contre ces compagnies sans scrupules qui produisent des aliments aussi néfastes pour la santé de l'homme, la santé sur la planète s'en porterait tout autrement.

Est-ce logique et utile d'acheter tous ces aliments ridicules style *fast food*, les aliments préparés, les surgelés, les conserves, les repas-minute, etc.? À cela s'ajoutent toutes les friandises : les chocolats remplis d'huile hydrogénée, de colorants, de sucre raffiné, les croustilles fromagées, épicées, multisaveurs, etc.; nos papilles en demandent toujours plus! Comment pensez-vous nourrir un corps adéquatement avec ces aliments vides de nutriments? Qu'on se le dise, il faut cesser d'en consommer.

N'oublions pas qu'avant que l'homme transforme la nourriture en la chauffant, en la transformant et en la raffinant, la nature offrait tous les éléments indispensables à la vie et à une bonne digestion.

Il m'est arrivé de rencontrer des personnes qui se quali-
fiaient de paresseuses, mais qui après quelques semaines de
meilleures habitudes de vie, une alimentation revitalisante,
et quelques irrigations du côlon ne se reconnaissaient plus.
Leur vitalité renaît, leur goût de vivre, de faire des projets
réapparaît.

**Quelques petits changements d'habitudes
peuvent parfois avoir des impacts positifs importants
sur notre santé.**

## La sensation d'avoir toujours faim : fausse ou vraie faim?

Cette sensation de faim insatiable, comment l'explique-
t-on?

D'abord, quand le corps n'est pas rassasié en minéraux
et en vitamines, il crée la faim. Rappelez-vous que le corps
ne fabrique pas les minéraux et que l'organisme doit les puiser quotidiennement dans les aliments que nous ingérons.
Alors quand les aliments que nous consommons sont sans
valeurs nutritives, ils sont habituellement acidifiants. Quand
le milieu gastrique devient plus acide qu'il ne devrait l'être, le
corps crée la faim pour que nous mangions à nouveau afin
d'éteindre le feu qu'occasionne cette acidité.

Tout ce qui est fait de farine blanche (sans valeurs nutritives) crée la faim. Gâteaux, crêpes, biscuits, muffins, etc.,
créent une faim parfois insoutenable et nous sommes portés à manger plus. Je pense que l'acidité crée l'obésité. C'est
un cercle vicieux. Plus nous sommes acides, plus nous mangeons.

Les aliments entiers et purs ne nous donnent pas cette
sensation de malaise au creux de l'estomac, au contraire,
nous nous sentons rassasiés pour plusieurs heures. Ayant

été hypoglycémique plusieurs années, je me rappelle avoir connu cette sensation bien des fois. Dans mon jeune âge, et dans l'adolescence, je mangeais continuellement, car cette sensation devenait envahissante. Ce facteur était dû au type d'alimentation adoptée : pain blanc, pâtisserie à base de farine blanche, etc., mais surtout à la surconsommation de sucre blanc. À l'époque, c'était comme ça, on s'alimentait sans se poser de questions. Ceux qui mangeaient plus entier et équilibré passaient pour des marginaux ou des « granolas ».

Aujourd'hui, c'est devenu l'intérêt premier, le système de santé débordant de gens malades; la prévention par la nutrition semble dorénavant faire partie des stratégies pour alléger ce système engorgé. Tant mieux! Avec le temps, il y aura moins de gens malades.

Donc, cette sensation de faim persistante pourra être éliminée par une alimentation saine, composée d'aliments, ayant conservé toutes leurs valeurs nutritives, variée et équilibrée dans l'apport des différents nutriments; glucides, lipides, protéines.

# Chapitre 4

## *La toxémie*

## Idée globale de la toxémie

La toxémie, habituellement, s'installe petit à petit au fil des années par le biais de nos mauvaises habitudes de vie; alimentation désuète, manque d'exercice physique, stress persistant, rythme de vie trépidant, polluants environnementaux, etc. Par contre, certains individus viennent au monde déjà hypothéqués par une santé fébrile et intoxiqués par le milieu utérin lui-même (habitudes de vie, alimentation, etc., de la mère), par le degré d'intoxication des parents avant la conception ou par un bagage génétique héréditaire déficient sur le plan des processus digestifs.

Mais en général, on pourrait expliquer ainsi le cheminement de la toxémie de l'organisme :

● Dès la naissance, l'être humain devrait éliminer une selle pour chaque repas ingéré. Un bébé nourri au lait maternel a habituellement une selle après chaque tétée, contrairement aux enfants nourris au lait maternisé, qui boivent autant de fois que le nourrisson allaité, mais qui n'auront qu'une selle ou deux par jour; l'absence d'enzymes dans ces laits maternisés en étant la cause.

- Dès le berceau, l'enfant commence à accumuler des repas dans son intestin. À cela, n'oublions pas que s'ajoutent de nombreux vaccins donnés intensivement durant les premières années de vie de l'individu

- On commence habituellement l'alimentation du nourrisson avec des produits céréaliers, mais malheureusement l'enfant ne possède souvent pas encore l'enzyme qui les digère (amylase); l'accumulation de matières mal dégradées commence déjà à faire son apparition. (Ce n'est pas avant l'âge de six à huit mois que l'enfant fabrique cette enzyme. On devrait donc commencer par les légumes et les fruits en purée).

- Nous poursuivons notre route souvent par la consommation quotidienne d'aliments ne possédant pas toujours les valeurs nutritives (vitamines, minéraux, acides gras essentiels, etc.) dont nous avons besoin, qui souvent ont perdu aussi leurs enzymes (cuisson, congélation, friture, etc.) et qui entraînent, à la longue (le délai variant d'un individu à l'autre), l'épuisement du système digestif. De plus, la surconsommation d'aliments acidifiants perturbe l'équilibre acido-basique nécessaire au bon fonctionnement de l'organisme (voir acidité).

- Au fil des années, le côlon se surcharge et le mouvement intestinal, ou péristaltisme, ralentit un peu, car la présence de ces vieilles matières alourdit et bloque le mouvement de vagues qui permet au repas d'avancer.

- L'accumulation de matières fécales sur la paroi intestinale finit par former des croûtes qui durcissent et qui continuent de s'épaissir avec les années.

- La muqueuse intestinale agressée quotidiennement par cette accumulation de déchets et par une alimentation dévitalisée et contaminée par toutes sortes de résidus médicamenteux, hormonaux, pesticides, eau chlorée, etc., s'irrite et ses villosités s'endommagent.

- À la longue, les villosités, indispensable, à l'absorption des minéraux et des vitamines, n'absorbent que partiellement les nutriments.

- La muqueuse endommagée perd de son intégrité et laisse dorénavant passer des éléments intoxicants dans le circuit sanguin; les bactéries, champignons, parasites, transitent à travers la membrane pour se retrouver ailleurs (vessie, prostate, vagin, etc.).

- Le foie, le pancréas, les reins, surchargés d'éléments intoxicants, s'épuisent et ne fournissent plus à la demande.

- L'intoxication est à son comble, le corps réagit; les tissus s'irritent, s'enflamment, s'ulcèrent.

- Désespérément, le corps tente de minimiser les dégâts en encapsulant les déchets; kystes, fibromes, sclérose, apparaissent.

- La flore intestinale perturbée par un milieu ambiant désuet devient propice à la prolifération de bactéries dangereuses qui créent des peptides antigéniques, c'est-à-dire des agents initiateurs de la maladie auto-immune et des maladies dégénératives.

- En derniers recours, la cellule complètement engorgée de toxines se dérègle et l'anarchie s'installe, la multiplication cellulaire se désorganise, le corps ayant épuisé toutes ses stratégies pour recouvrer l'équilibre; apparition de tuméfaction maligne, cancer, maladies dégénératives profondes.

Il est important de spécifier que lorsque nous parlons d'une toxine ou de déchet, c'est principalement sous les formes suivantes qu'ils se présentent, soit :

- gaz toxiques : produits de la fermentation et de la putréfaction stomacale ou intestinale qui, lorsqu'ils ne sont pas expulsés par les voies naturelles (flatulences, éructation, expiration), peuvent se retrouver partout dans les tissus puisqu'ils sont réacheminés par le circuit sanguin ou lymphatique. (Ces gaz devraient être éliminés par les poumons pendant un effort physique qui amène l'essoufflement, sinon la peau terminera le travail; les boutons, les kystes, les bosses en sont remplis. Ces gaz se déplacent et s'accumulent créant ainsi de la tension à l'endroit où ils atterrissent. Si vous ouvrez un contenant de dissolvant à peinture, par exemple, vous sentez le gaz toxique mais vous ne le voyez pas. De plus, si la température augmente, la pression aussi et le contenant peut même exploser, alors imaginez la pression sur les tissus environnants lorsque les gaz s'accumulent. Si vous avez des douleurs quelque part, tendinite, bursite, inflammation, maux de bas de dos, etc., ce sont des gaz toxiques qui créent ces douleurs.)

- minuscules cristaux : ce sont des résidus finals du métabolisme des protéines, de la consommation excessive de sucre raffiné. Ces cristaux font partie des éléments qui endolorissent les tissus, les articulations : arthrite, rhumatisme, arthrose, sciatique, névrite, calcul, bursite, etc.

● colles : ce sont les résidus d'un métabolisme défectueux, d'une alimentation trop riche en glucides (céréales, pains, pâtes, desserts, sucreries) ou en lipides (gras) comme les produits laitiers (lait, crème, crème glacée, yogourt, fromage) et qui contribuent à la production de mucus, glaire, crachat, pertes blanches. Les principaux expectorant de ces déchets :

- catarrhes des voies respiratoires : asthme, bronchite, sinusite
- catarrhe de la peau : eczéma suintant, acné, furoncle
- catarrhe de l'utérus : perte blanche

C'est principalement sous ces formes que les toxines se présentent, mais lorsqu'elles ne sont pas complètement éliminées, elles sont un fardeau pour toutes les cellules du corps, car elles les empêchent d'exécuter adéquatement leurs tâches respectives.

Les principales voies d'élimination de ces déchets sont les reins, les poumons, l'intestin et, en dernier recours, la peau qui devient l'émonctoire final. Quand ces organes d'élimination ne suffisent plus à la demande, c'est là que l'organisme commence à emmagasiner ses toxines dans ses tissus; le mandat étant de maintenir l'équilibre pour la survie des cellules en éloignant ces agents toxiques des principaux organes vitaux. Le corps, à plusieurs reprises, tentera de remettre en circulation ces toxines dans le but de les éliminer.

L'apparition de malaises ou de maladies est le signe que le corps tente de se débarrasser de substances indésirables. Le vomissement, la diarrhée, les grippes, la fièvre, les sécrétions diverses, etc., font partie des stratégies que le corps utilise pour éviter une plus grande intoxication.

Malheureusement, combien de fois avons-nous tenté d'arrêter, par la médication ou autres traitements, ces mécanismes naturels d'autonettoyage et d'autorégulation (anti-histaminique, antitussif, analgésique, anti-inflammatoire, antibiotique. Lorsque les gens reçoivent des traitements de chimiothérapie, on les accompagne de médicaments pour les empêcher de vomir; où est la logique? On paralyse le corps et on l'empêche de faire son travail de nous sauver la vie.

Malheureusement, lorsque l'organisme a épuisé ses stratégies les moins dommageables, il passe à une solution plus drastique; l'objectif étant de limiter les dégâts (kyste, tumeur, etc.). À défaut d'y parvenir, la réponse finale : le cancer, les maladies dégénératives.

Il est donc essentiel de comprendre ce processus d'intoxication si l'on veut vraiment intervenir directement non seulement sur la glande, l'organe, le tissu impliqué mais aussi à la source même de nos malaises : **le côlon** (cette notion étant inspirée du travail de longues années de recherches et de pratiques de Bernard Jensen qui était arrivé à la conclusion suivante : « Toutes les maladies prennent leur origine dans le côlon. »)

# Coupes de côlons
## *sain et pathologique*

### Coupes transversales du côlon

Coupe transversale
de côlon sain

Coupe transversale
de côlon obstrué

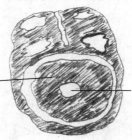

résidus d'aliments
consommés

Lumière dans l'intestin
(passage pour les selles)

Coupe transversale

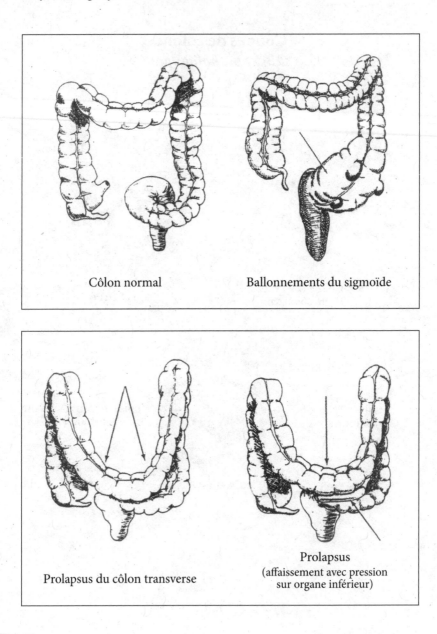

Côlon normal

Ballonnements du sigmoïde

Prolapsus du côlon transverse

Prolapsus
(affaissement avec pression
sur organe inférieur)

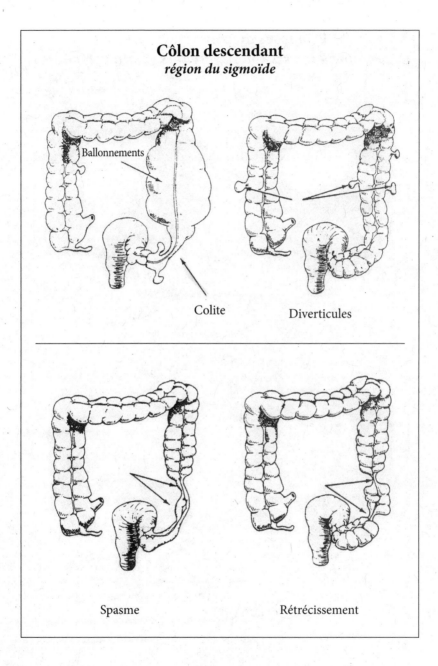

# Côlon descendant
### *région du sigmoïde*

Ballonnements

Colite

Diverticules

Spasme

Rétrécissement

## Prolapsus du côlon transverse
### *Occasionne une pression sur organes génitaux féminins*

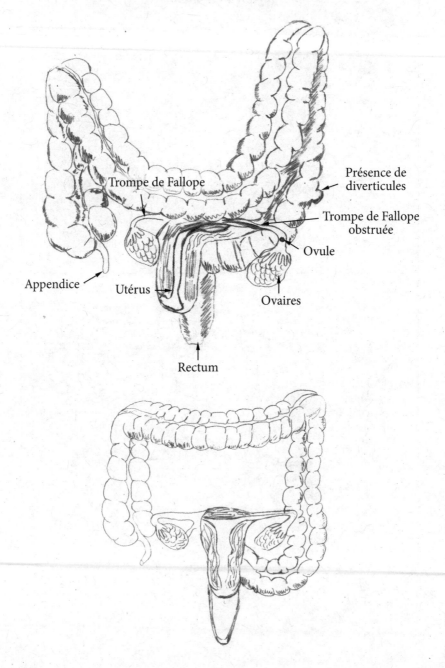

# L'acidité : facteur important dans la notion de toxémie

. Pour mieux comprendre cette problématique, il faut d'abord savoir que tout élément qui entre dans l'organisme, que ce soit les aliments ingérés, l'air que l'on respire, les médicaments que l'on prend, l'exercice physique, etc., sont tous générateurs de déchets (aussitôt que le corps doit métaboliser ou doit dépenser de l'énergie, il engendre automatiquement des résidus, des déchets à éliminer). Ces déchets sont, selon leur origine, plus ou moins acidifiants pour l'organisme. Mais heureusement, il existe des mécanismes d'autorégulation, des systèmes tampons pour neutraliser et éliminer ces déchets acides (acides forts et acides volatils). D'abord, pour bien neutraliser ces résidus, certains minéraux sont nécessaires, on les appelle les minéraux tampons soit le sodium, potassium, calcium et magnésium.

Sans eux, impossible de maintenir l'équilibre du pH sanguin indispensable à la survie de l'organisme; sans cet équilibre, c'est la mort. Ensuite, certains organes d'élimination devront débarrasser l'organisme de ses toxines acides; les reins (acides durs) et les poumons (acides volatils) qui y travaillent assidûment. Lorsque ces mécanismes n'ont pas réussi à nous débarrasser complètement de ces résidus acides, l'organisme mettra en branle d'autres mécanismes de protection et d'élimination.

Tout d'abord, il est important de savoir que toute la surface recouvrant le tube digestif est tapissée d'une mince couche de mucus (mucine : substance visqueuse plus ou moins épaisse) qui protège contre l'autodigestion, les sucs gastriques ou autres agents irritants, et sert aussi de transport des toxines, virus, bactéries à l'extérieur du corps (le mucus que l'on expulse par la toux pour dégager et débarrasser les voies respiratoires de l'intrus, les selles visqueuses, urine trouble, etc.) hors de l'organisme.

Que l'on consomme des aliments acides en trop grande quantité (voir annexes), que l'on respire de l'air vicié (solvants, peinture, etc.), que l'on consomme des médicaments (antibiotiques, hypotenseur, antihistaminique, etc.), ces substances agressent les parois des muqueuses et favorisent la production de mucus supplémentaire et contribue à en augmenter la consistance (plus épaise) pour protéger les parois qui tapissent les différents organes du corps. Si la protection doit se poursuivre, à la longue, ce mucus s'installe non seulement à l'intérieur du tube digestif, mais aussi au niveau respiratoire, et autour de chaque organe, comme le foie, le pancréas (fibrokystique), les intestins, etc., et il bloque la circulation sanguine et lymphatique.

Le seul moyen d'éliminer ce mucus est d'abord de changer ses habitudes de vie (alimentation, exercice physique, etc.) si cela est possible et ensuite de nettoyer le côlon; site initiateur de perturbations. Il faut de plus augmenter le péristaltisme à plusieurs éliminations de selles par jour avec l'aide de fibres puissantes comme le psyllium, que l'on consomme une à deux fois par jour avec de l'eau. Cette fibre puissante va commencer à gratter les parois et à déloger cet épais mucus que vous retrouverez dans vos selles entre autres. Boire plus d'eau et diminuer la nourriture cuite et augmenter le « cru » : légumes, fruits, germinations.

Plus le corps est acide, plus il fabrique du mucus dont la présence, en trop grande quantité dans le tube digestif, est une cause de problèmes fréquents de digestion tels que reflux gastriques, brûlements de l'estomac, problèmes respiratoires : sécrétions dans la gorge, bronchite chronique, asthme, emphysème, etc. Ce mucus est aussi le foyer de bien des bactéries nuisibles qui aiment vivre dans ce genre de milieu.

D'autres signes importants de l'acidité sont la fatigue, les douleurs, les brûlures (brûlures d'estomac, ulcère), l'inflammation que l'on ressent dans toutes les parties du corps (toutes les maladies en « ite » en font partie : tendinite, bursite, sciatique, épicondilyte, arthrite, etc.). Plus ces signes sont présents, plus votre corps veut vous démontrer qu'il y a un déséquilibre acidobasique. Malheureusement, quand les gens font beaucoup d'acidité, le premier réflexe, c'est d'acheter des produits à base de calcium-magnésium chimique pour neutraliser leur acidité. Ça fait effet, ça neutralise, mais le danger c'est que cela devienne trop alcalin et ce n'est pas mieux. De plus, un excès de sodium-calcium-magnésium inorganique peut congestionner les artères, les reins avec des accumulations de pierres, et tout le corps va devenir raide, ça ne pliera plus. L'arthrite est un signe flagrant que les articulations ont servi de milieu tampon à un excès de toxines acides. Le corps a dû utiliser le milieu osseux (riche en calcium) de l'articulation pour tamponner les résidus acides. À la longue, le calcium se durcit et forme des amas qui limiteront la flexibilité et la mobilité de l'articulation; les déchets acides toxiques gazeux « paralysent ».

## Mais d'où viennent ces résidus acides?

Premièrement, tout ce qui ne contient pas assez de minéraux est acide; un fruit cueilli vert et mûri au gaz est acide. La nature n'a pas fini son travail, car c'est grâce à la chaleur, au soleil et à l'eau ou au cycle du carbone que le mûrissement des fruits, des légumes, des fines herbes, etc., adéquat est possible, sinon ils n'ont pas eu suffisamment de temps pour terminer leur maturation. Un fruit cueilli mûr à souhait n'est pas acide. Une tomate cueillie mûre et consommée immédiatement n'est pas acide. Mais mettez-la en conserve ou faites-la cuire et elle devient acide, car tout ce qui est cuit est acide; la présence de minéraux étant diminuée et parfois inexistante.

Une croustille est acide, une tablette de chocolat est acidifiante. Un muffin, du gâteau, des biscuits, c'est la même chose. Les pâtes, le pain à base de farine blanche raffinée et la viande le sont également. Le vinaigre blanc est extrêmement acide, il tue des milliers de cellules sur son passage. Les boissons gazeuses foncées, le café, le thé noir, l'alcool sont aussi des sources d'acidité. Nos modes de cuisson ont aussi un impact sur l'acidification des aliments. Par exemple, quand nous préparons de la soupe, à la chaleur, les minéraux changent de place.

Ils sortent des légumes pour se retrouver dans l'eau et c'est là qu'il y a un déséquilibre; la cuisson tuant certaines vitamines qui favorisent la synergie entre les minéraux et diminuant la capacité de l'organisme à les utiliser. Donc une soupe qui a mijoté longtemps est acide.

En résumé, la seule façon d'obtenir une alimentation peu acidifiante, c'est de favoriser les aliments non cuits : légumes et fruits frais et crus, germinations, jeunes viandes, grains entiers, noix fraîches, car ils sont riches en minéraux et ont conservé leurs enzymes. On ne peut que consommer des aliments de cette catégorie, me direz-vous, mais l'important est de prendre conscience des effets néfastes que ces aliments ont sur notre santé et de graduellement changer nos habitudes alimentaires dévitalisantes. De plus, c'est en maintenant nos organes d'élimination en excellente condition (côlon, foie, reins, poumons) que l'organisme réussira à palier non seulement nos écarts alimentaires mais aussi à gérer adéquatement les entrées et les sorties des agents intoxicants provenant autant de l'extérieur que de l'intérieur.

N.B. : Voir en annexe la liste des aliments plus ou moins acidifiants.

## L'importance d'entretenir un côlon propre pour limiter la toxémie cellulaire

L'un des premiers signes d'intoxication nous indiquant que le côlon est encrassé est la difficulté d'évacuation des selles, et leur texture; selles collantes, salissantes et malodorantes. Elles nous indiquent que le repas consommé a manqué de fibres et d'enzymes, qu'il a pris trop de temps à être évacué et comme le côlon retire l'eau 24 heures durant, le repas a eu le temps de se faire déshydrater et de devenir collant et d'être très difficile à évacuer.

Quand on élimine et que le papier hygiénique est sali, c'est que le repas, constitué de matières collantes et épaisses dépourvues de fibres, laisse des résidus tout le long de son parcours sur la paroi intestinale. À long terme, au fil des jours voire des années, en maintenant ce rythme de mauvaise élimination ou d'élimination qui laisse des résidus, l'accumulation de déchets augmente et finit par former une croûte plus ou moins épaisse sur les parois intestinales (grêle et côlon inclus).

À moyen et long terme, l'espace pour le passage des selles devient de plus en plus restreint (taille d'un crayon), et le temps de séjour des matières fécales dans l'intestin s'en voit prolongé. Cette accumulation de selles amplifie les fermentations et putréfactions sur place, apparaissent alors les gaz, ballonnements.

L'irritation de la muqueuse intestinale est imminente et progressivement elle perd de son intégrité et devient perméable ou poreuse et alors elle commence à laisser passer, dans tout l'organisme, des substances toxiques. Malheureusement, ce genre de substances sont difficiles à atteindre par les enzymes digestives, même les lymphocytes ont du mal à reconnaître ce genre de déchets. Elles vont alors s'installer dans le liquide entourant les cellules (liquide interstitiel ou lymphatique) et parfois elles arrivent même à pénétrer les cellules.

Quand il y a trop de substances toxiques, les tissus s'enflamment et les premiers symptômes d'intoxication intestinale font leur apparition : problèmes de constipation, diverticulites, diarrhée, colite, intestins irritables, maladie de Crohn, congestion hépatique, problèmes de peau, fatigue chronique, fibromyalgie, allergies, migraine, diabète, sclérose en plaques, etc.

Il est donc important de réaliser que l'intestin, *a priori*, est le site initiateur de plusieurs maladies et qu'il est primordial que l'on évite d'y entretenir un milieu propice au développement de fermentation et de putréfaction qui sont responsables de **l'intoxication éventuelle de tout l'organisme**. Malheureusement, beaucoup s'entêtent à continuer de consommer tous ces aliments nuisibles, reportant toujours à plus tard la prise en charge de leur santé. Heureusement, il est possible de rééquilibrer sa santé digestive, mais il faut des efforts et de la persévérance.

J'aimerais, avant de vous donner plus de détails sur comment entretenir un côlon propre, vous faire part d'un article qui résume une conférence importante sur l'intoxication alimentaire qui a eu lieu en Grande-Bretagne.

## LA MALADIE NOUS SURPREND AU NIVEAU DU CÔLON

Une importante conférence sur l'intoxication alimentaire tenue par les membres de la Société royale de médecine de Grande-Bretagne regroupait 57 physiciens renommés. On retrouvait d'éminents chirurgiens, médecins spécialistes et généralistes de diverses spécialités. Ils discutèrent des effets de la toxémie intestinale alimentaire.

Parmi les 36 poisons découverts, plusieurs sont hautement actifs, produisant de très graves réactions, même en quantité minime. Les poisons qui baignent continuellement les délicates cellules des pores intestinales causent un malfonctionnement de celles-ci, résultant très souvent en maladie grave. Il faut comprendre que ces recherches et découvertes ne sont pas de simples théories, mais le résultat de diagnostics constatés par ces médecins. Bien sûr, l'intoxication des intestins n'est pas l'unique cause de tous les symptômes et maladies mentionnés. Certains sont dus à d'autres facteurs. Dans les lignes qui suivent, divers problèmes étudiés à la conférence de Londres sont classifiés afin de cerner plus facilement ce problème; intoxication alimentaire par les intestins.

## L'ORGANE DIGESTIF

*Inflammation du foie, cancer du foie, vésicule biliaire lente, pierres à la vésicule, inflammation de la vésicule, mauvais sels biliaires, acidité de l'estomac, mucus dans le petit et gros intestins, gaz viciés et malodorants, ballonnements, selles malodorantes, inflammation des intestins, irritation des intestins causant des douleurs continues, à intensité différente, appendicite, cancer du côlon et différentes autres formes de cancer, adhérences et plis de l'intestin, déformation de l'intestin telle que dilatation, prolapsus, distorsion, invagination des intestins due au poids des matières fécales du gros intestin formées à long terme et qui n'ont pas été éliminées, abdomen distendu ou gros ventre, catharre (épais mucus), spasmes et crampes abdominales, sensibilité de l'abdomen, diarrhée, constipation, cancer du pancréas, infection des gencives et des dents (caries) malgré des nettoyages réguliers. La circulation sanguine chargée des déchets nuira au système au complet pour loger ces déchets quelque part, et des foyers d'infection se découvrent un jour ou l'autre pour un milieu de culture idéal sur un organe quelconque. La pression sanguine en subira les méfaits. Le système nerveux sera affecté en le démontrant par des maux de tête divers, faibles ou intenses, névralgie, musculature douloureuse, lassitude, irritabilité, dépression, insomnie, sommeil agité et non réparateur, fatigue au réveil et au cours de la journée; horreur du bruit, mélancolie, perte de mémoire et manque de concentration. La toxémie nuit aux yeux, cause des cernes autour des yeux, eczéma, psoriasis, dermatite, acné, une dose infinitésimale de poison suffit à causer une éruption cutanée.*

*À long terme, les muscles sont mal nourris, se dégénèrent, les os également. On s'en rend compte de plus en plus chez nos jeunes : arthrite, rhumatisme, sciatique, cellulite sont des résultats directs d'une intoxication intestinale.*

*Sous l'effet du poids et de l'accumulation de ces déchets intestinaux, les organes les plus près en subiront les conséquences; inflammation, déplacement, kyste sur les ovaires, l'utérus, la prostate et les reins, la vessie, et même les seins chez la femme. Dans 85 % des cas de cancer du sein chez la femme, le côlon est très embarrassé et beaucoup d'entre elles souffrent de constipation, ont le foie débalancé à cause de l'abondance des déchets apportés à celui-ci par la veine cave, directement reliée au côlon. Mastite douloureuse, fibrose et durcissement des seins, affaiblissement de la vessie et de l'utérus, infection urinaire, urine fréquente et en toussant ou en riant. Infection urinaire causée par la charge de matières fécales du sigmoïde et des deux extrémités du côlon qui compressent le système génito-urinaire.*

*L'auto-intoxication est pour une large part responsable du développement des maladies génito-urinaires chez la femme. Elle peut être considérée comme le résultat de la stase intestinale. La dégénérescence des organes d'élimination, particulièrement les reins, le côlon, la peau, les poumons en sont touchés. Même le nez et la gorge en subissent les méfaits : adénoïdes, polypes, amygdales enflées, infections pulmonaires, asthme, rhumes à répétition.*

*Les hémorroïdes, fissure et rougeur au rectum, mauvaise haleine, odeurs corporelles nauséabondes. Le candida albicans, problème caractérisé par des côlonies de levures pathologiques logées dans le côlon et autres organes; problèmes de parasites et autres champignons contractés parfois lors de visites dans les pays tropicaux.*

*Il n'est pas possible à ces maladies de s'installer quand la circulation sanguine est saine et efficace. Plusieurs moyens s'offrent à nous pour se désintoxiquer. Une meilleure alimentation, cure de désintoxication conseillée par des spécialistes, l'irrigation du côlon. Elle permet de débarrasser en douceur l'épais mucus logé sur les parois du côlon, dû aux produits chimiques ingérés de toutes sortes : colorants, additifs, nicotine, médicaments, minéraux inorganiques, etc.*

*L'irrigation permet de débarrasser les sels biliaires collés sur les parois ainsi que les déchets de matières fécales durcis et accumulés depuis des années. Un côlon propre permet l'assimilation de ces éléments nutritifs tels que les vitamines liposolubles A, D, E, F, K et les électrolytes importants. L'irrigation permet de déloger ces déchets qui ne seront pas réabsorbés par l'organisme. Toute personne bien portante devrait recevoir une à deux irrigations par année, comme il est nécessaire de nettoyer la cheminée de son foyer une fois par année. Nous mangeons une demi-tonne d'aliments par année, et notre foyer brûlera cinq à quinze cordes de bois. Une cheminée se remplace, pas notre côlon. Une série initiale de trois irrigations, une environ aux deux semaines, permet un bon nettoyage.*

*Associé à une bonne alimentation, à la prise de suppléments alimentaires, à de l'exercice, à du repos, à une bonne gestion des émotions, à vivre sa vie avec plaisir, c'est une véritable assurance-maladie.*

Références : Drs W. Bezleu, Lone, William Hunter (Londres), Dr Harvey W. Killog (États-Unis), Drs Jensen et Norman Walker, éminents irrigologues aux États Unis.

## La toxémie de l'intestin

### Processus normal de digestion

- Les enzymes naturellement présentes dans les aliments vivants digèrent les nutriments et les fractionnent en particules chimiques si petites qu'elles s'infiltrent à travers la paroi des cellules et pénètrent dans le flot sanguin (contrairement au mythe voulant que les aliments crus soient difficiles à digérer).

- Sitôt digérés, les aliments riches en fibres pénètrent dans l'intestin grêle où les nutriments sont absorbés par la paroi et distribués dans toutes les cellules du corps par le flot sanguin.

- Les déchets toxiques provenant des aliments sont préparés pour l'élimination par des bactéries de la famille des lactobacillus présentes dans le côlon.

- Les fibres restantes contribuent à diluer, à agglutiner et à désactiver un grand nombre de carcinogènes.

- Les déchets sont éliminés dans les selles quotidiennement.

- En même temps, les dix milliards de cellules du corps se déchargent de leurs propres déchets dans le circuit sanguin qui transporte les toxines jusqu'au côlon pour une élimination rapide.

## Processus initiateur de toxémie

1. Les aliments dépourvus d'enzymes : légumes cuits, pain blanc, pizza, etc., pénètrent dans le système digestif, mais ils ne peuvent être fractionnés afin de permettre l'absorption des nutriments.

2. En l'absence de fibres pour balayer les déchets toxiques à travers le côlon, les restes d'aliments reposent dans le

gros intestin. Au fur et à mesure que la paroi du côlon absorbe de plus en plus d'eau, les selles durcissent et deviennent difficiles à éliminer.

3. Pendant qu'ils restent dans le tube digestif, les gras rancissent, les hydrates de carbone fermentent et les aliments protéiniques se putréfient, renvoyant les poisons à travers tout le corps et provoquant des gaz, de la constipation, une mauvaise haleine, des maux de tête, des troubles de la vision, etc.

4. La paroi du côlon commence à absorber des toxines et les relâche dans le flot sanguin sous forme de radicaux libres; des électrons destructeurs qui errent dans le corps à la recherche de cellules saines à envahir.

5. Le côlon encombré se met à refouler, le sang ne peut déposer les déchets des cellules qu'il transporte, surchargé de débris. Il est incapable d'effectuer sa tâche de nettoyage des cellules. Bientôt, les cellules elles-mêmes s'affaiblissent, entrent en mutation et prêtent le flanc à la maladie, sous le poids de leurs propres déchets.

6. Même après l'élimination des selles, certains aliments non digérés restent collés aux parois du gros intestin et entravent les processus digestifs vitaux d'absorption et d'élimination.

7. Des déchets toxiques encombrent le côlon parce que les bactéries de la famille des lactobacillus qui doivent normalement faire le ménage ont été détruites. Les antibiotiques que nous prenons pour combattre l'infection ajoutés aux antibiotiques que l'on donne aux animaux dont nous mangeons la viande tuent ces bactéries qui sont essentielles pour maintenir le côlon en santé.

8. Finalement, l'insuffisance des bactéries bienfaisantes combinée au stress découlant des déficiences en enzymes et en fibres créent des conditions telles que le côlon peut perdre sa force, sa forme et sa capacité de fonctionner efficacement.

À défaut d'un fonctionnement optimal de l'appareil digestif, les malaises et maladies s'installent et évoluent selon différents processus, soit irritation, inflammation, induration, cancérisation.

# 1. Comment entretenir un côlon propre

L'utilisation du psyllium est essentiel pour un premier travail d'élimination intestinale.

Le psyllium est un outil indispensable pour une bonne cure de désintoxication. Si nous voulons entreprendre un nettoyage efficace de notre corps, il faut augmenter l'élimination du côlon à deux ou trois selles par jour. Le psyllium est employé comme « laxatif ». Ce laxatif très particulier dissout et décolle les croûtes de déchets accumulés dans notre côlon. En effet, tous les aliments dévitalisés que nous consommons depuis notre naissance et qui possédaient ni fibres ni éléments nutritifs nécessaires à leur transformation par l'intestin, se sont accumulés formant ainsi des croûtes collantes et visqueuses durcies qui se retrouvent tout le long de la paroi du côlon.

Ces croûtes bloquent les mouvements péristaltiques du côlon qui sont essentiels au bon fonctionnement de l'intestin. Les aliments qui stagnent dans le côlon entraînent la putréfaction et une auto-intoxication. De là découlent de nombreuses maladies et déficiences qui peuvent se manifester aussi bien dans la tête, le cou, les doigts, le visage, les membres, la peau, que dans toutes les autres parties du corps. Le psyllium a comme caractéristique d'amener de grande quantité d'eau dans l'intestin. Il provoque ainsi des selles copieuses, molles et chargées de déchets. Très recommandé dans le cas d'embonpoint, d'hémorroïdes, d'intoxication et d'acidité.

Il est important, pendant la période où nous prenons du psyllium, d'augmenter notre consommation de légumes crus et de boire de plus grandes quantités d'eau. Il ne faut pas oublier que c'est avec des aliments vivants (légumes crus, germination, fruits frais) que nous nourrissons nos cellules et notre sang. Le pain et ses dérivés sont des aliments dévitalisés qui laissent beaucoup de résidus dans notre côlon. Ce qui fait qu'avec les années, ces résidus se transforment en croûtes et encombrent notre côlon et bloquent notre élimination.

Donc, pour s'assurer de vivre une bonne désintoxication, il est important de consommer plus de légumes crus et de diminuer les féculents.

Il est recommandé aussi d'incorporer de la chlorophylle liquide lorsque nous prenons du psyllium. La chlorophylle étant un aliment régénérateur pour le sang et, de plus, son action dépurative lui permet d'acheminer rapidement les toxines hors de l'organisme.

### Posologie

Commencer par **une demi-cuillère à thé de psyllium, matin et soir** (de préférence à jeun ou dans un estomac vide), **dans 250 ml d'eau ou de jus + une cuillère à thé de chlorophylle.** Boire un verre d'eau supplémentaire, si possible, par la suite.

Ensuite, après quelques semaines, augmenter à une cuillère à thé, matin et soir. Conserver la même quantité de chlorophylle.

Pour accélérer le processus de nettoyage, il existe une façon simple de jeûner tout en incorporant des irrigations du côlon. Il est impressionnant de constater à quel point notre intestin peut accumuler des déchets. Des cures à base de plantes sont aussi disponibles pour déloger la croûte intestinale, et ce, sans irrigation du côlon

## 2. L'irrigation du côlon

L'irrigation du côlon est une vieille technique utilisée pour nettoyer le système digestif. Contrairement à la croyance populaire, qui pense qu'une irrigation peu irriter l'intestin ou nuire à la flore intestinale, c'est tout à fait le contraire. D'abord, l'eau n'est pas un détergent, et n'irrite aucunement les parois intestinales. Elle permet simplement de diluer les matières fécales durcies, acides et en putréfaction, après un trop long séjour dans le côlon, et d'être évacuées à même un tube branché à l'appareil d'irrigation. Cela se fait en douceur pendant 45 minutes environ.

De plus, l'eau utilisée est filtrée et traitée aux rayons ultra-violets afin de détruire germes et bactéries. Pour sa part, la flore intestinale a de la difficulté à rester équilibrée dans un milieu trop acide, et l'irrigation lui permet de retrouver ce terrain plus équilibré.

Lorsque le côlon a éliminé une grande partie des vieux déchets qui l'encrassaient, l'organisme en profite immédiatement. Il absorbe mieux les substances nutritives indispensables. Par la même occasion, le courant sanguin n'est plus envahi par une quantité de toxines provenant du côlon.

## 3. Effet de l'épuration du côlon sur la santé générale

L'amélioration de l'état de santé procurée par l'épuration du côlon se manifeste par de nombreux signes :

● Sensation de grand bien-être résultant de l'élimination des mucus, gaz, particules alimentaires non digérées, toxines bactériennes de l'intestin.

● Sensation de légèreté découlant de la disparition de la pression exercée sur les organes voisins par l'intestin engorgé.

● Amélioration des œdèmes et des états inflammatoires localisés obtenus par l'élimination des substances irritantes.

● Disparition des parasites et autres hôtes indésirables du côlon.

● Perte de poids et amincissement, mais aussi prise de poids chez les gens trop maigres.

● Augmentation de la tonicité abdominale.

● Cystites, ovarites et dysménorrhées toujours améliorées et souvent définitivement guéries.

● Amélioration de la fonction rénale.

● Amélioration de l'état général et du fonctionnement du tube digestif.

● Prévention du cancer du côlon qui semble être en rapport étroit avec son état d'encrassement.

● Action intéressante en gériatrie par l'effet détoxicant qui amène une régénération globale.

● Amélioration des fonctions intellectuelles et équilibration de la vie émotionnelle.

● Détoxiqué, le corps devient plus sensible aux nouvelles substances toxiques qui y pénètrent ou qui s'y forment et se défend mieux. À l'inverse, il est plus à même de bénéficier des substances bienfaisantes et réagit plus vite aux remèdes naturels.

## Programme de nettoyage intensif et expérience personnelle

Pour ceux qui désirent approfondir leur démarche, plusieurs cures peuvent être utilisées pour favoriser le nettoyage non seulement du côlon, mais aussi des autres organes d'éliminations. Je vous fais part de mon expérience personnelle qui me permet aujourd'hui d'être une personne en santé et riche de connaissances et d'expériences en ce qui concerne la désintoxication de l'organisme grâce à mes nombreuses expérimentations en matière de cures de nettoyage.

Je dois vous dire, au départ, qu'ayant consommé beaucoup de pain et de pâtes dans ma vie, à trente ans mes intestins étaient surchargés. Je vivais tous les jours des problèmes intestinaux incontrôlables. Je passais de la constipation extrême; de sept à dix jours sans éliminer du tout, à la tempête ou aux diarrhées puissantes incluant sueurs et inconforts constants. Au moindre stress, j'étais aux prises avec des crampes abdominales subites, « pliée en deux » comme l'expression le dit. Je suis certaine que plusieurs se reconnaissent en lisant ces lignes.

J'étais tellement malheureuse d'être dépendante de mon état de santé qui n'allait pas en s'améliorant. Mon corps devait être très saturé de toxines (gaz toxiques), car j'avais une peau kystique, des tumeurs sur la tête, sur une main et au coccyx. Mon ventre était gonflé, ballonné et j'étais constamment à la recherche d'énergie.

La fatigue était le lot de ma vie. J'avais des rhumes fréquents, sinusites, bronchites, otites à répétition. Je mangeais peu de légumes, rarement des fruits, peu d'eau ou pas du tout. J'ai fumé la cigarette, sauf pendant mes grossesses, je tiens à le préciser. J'adorais le pain, les pâtes et les desserts. L'alcool et la drogue n'ont pas fait partie de ma vie, ouf! Une chance, mais j'ai pris un peu d'antibiotiques et beaucoup de laxatifs. Pas vraiment d'exercice, sauf de la marche à l'occasion. Beaucoup de stress, des inquiétudes, des insécurités parfois même des paniques. Mais je prends conscience aujourd'hui que le niveau élevé d'encrassement de mon organisme a grandement contribué à me maintenir dans ces états d'âme et ces énergies négatives.

Vraiment, il était temps que je trouve une solution à tous ces problèmes.

J'ai donc entrepris la pratique de programmes intensifs de nettoyage de sept jours à la suite de mon initiation aux approches naturelles de la santé et à mon cours en naturopathie. Je pratique d'ailleurs ces programmes de nettoyage depuis plusieurs années, plus de quinze ans, et j'ai plus de vingt cures à mon actif.

Donc, la première fois où j'ai expérimenté cette cure, je faisais partie d'un groupe d'étudiants en naturopathie et nous étions accompagnés d'un maître dans ce domaine. Le but de cette cure était de permettre à la croûte intestinale de s'imbiber d'eau, de ramollir pour en facilité l'expulsion (l'objectif étant de libérer la muqueuse intestinale de ces résidus emmagasinés qui maintiennent notre taux de toxémie élevé et aussi de redonner à celle-ci sa capacité initiale d'absorption de tous les nutriments). Donc, trois mois avant d'amorcer ce programme de nettoyage, nous nous sommes préparés à l'aide de fibres puissantes (du psyllium) que l'on consommait deux fois par jour avec beaucoup d'eau et nous avons dû opter pour une diète riche en légumes crus et en fruits frais.

Jamais je n'oublierai le privilège que j'ai eu de vivre cette expérience si bien encadrée. Vraiment, cela m'a marqué! Le bien-être que j'ai ressenti a été intense. Tous les jours, nous faisions deux irrigations sur des planches appropriées à ce genre de traitement et je me rappelle que j'avais hâte, le soir, pour la deuxième irrigation tellement cela faisait du bien d'éliminer autant et aussi facilement, c'était le bonheur total. Dans cette semaine, j'ai perdu 8 kg et éliminé tout près d'une chaudière de vieilles matières lourdes et caoutchouteuses provenant de mon intestin (qui aurait pu croire que j'avais autant de résidus stagnants dans mon intestin). Nous venions de comprendre tout le sens et l'importance de se nettoyer pour mieux rebâtir le corps; notion jadis connue de nos ancêtres mise au rancart, aux oubliettes, par l'arrivée de la médecine. Je venais de comprendre une phrase bien simple de mon professeur en naturopathie : « À quoi ça sert de mettre du vin nouveau dans une bouteille sale ».

J'ai donc poursuivi, sept semaines après mon premier programme de nettoyage, une autre cure de sept jours. J'ai perdu un autre 5 kg, toutes les tumeurs sont disparues, je n'ai plus jamais refait de crise d'hypoglycémie, mon transit intestinal est redevenu régulier. J'avais aussi une masse du côté droit de ma tête qui a, elle aussi, disparu.

Je pesais dorénavant 52 kg, plus rien sur mon corps ne me dérangeait, plus de douleurs ni de lourdeurs. Mes idées étaient claires, ma tête et mes mouvements légers. Je me sentais tellement bien que plus rien, à l'époque, ne me dérangeait. J'avais le goût d'être en harmonie avec tout le monde.

Même mon passé, qui m'avait laissé des traces profondes au cœur et dans l'ego, me dérangeait moins. Une grande partie de ma guérison s'est faite en nettoyant mon corps. Un soir, après ces deux programmes intensifs de nettoyage, j'étais allongée sur mon lit, je regardais le ciel par ma fenêtre et j'étais tellement en gratitude d'avoir connu ce genre de cure. Cette prise de conscience, ce bien-être physique, répondait à des questions que je me posais depuis ma tendre enfance. Pourquoi les hommes sont si mal dans leur peau? Pourquoi font-ils tant souffrir d'autres êtres humains. Des théories, il y en a toujours eu et de grands penseurs, chercheurs, ont rempli les bibliothèques de leur théorie. Moi, je pense que l'être humain est fondamentalement bon. L'être humain est fait pour être heureux et plusieurs le sont. Quand le corps est intoxiqué, les idées et les comportements le sont aussi, c'est inévitable. Moi-même, je n'ai pas toujours eu un comportement idéal et un caractère stable. À force de changer mes habitudes de vies, de nettoyer mon corps, étape par étape, j'ai compris l'essence d'une vie agréable remplie d'amour et de partage, mais à la base, ça prend la santé.

Cessez de vouloir tout compliquer, de chercher des conflits ou il n'y en a pas. Gardez ça simple. Quand le corps est bien, notre vie est simple.

Il y a des êtres humains qui ont vécu des choses terribles, des abus, des abandons, des traumatismes. Mais si nous sommes plus à être en santé, nous serons plus à être généreux et plus à être portés vers les autres pour justement aider les plus démunis. Leur donner des ailes.

Nous devons d'abord partager nos connaissances, nous en faire un devoir. Quand on est malade, on est replié sur soi-même et on n'a pas le goût de partager, on est concentré sur son mal. Je sais que, malgré toutes nos bonnes intentions, plusieurs ne saisiront pas le but de notre partage ou de notre aide, mais ce n'est pas une raison pour cesser de vouloir aider. Si nous sommes au niveau du cœur pendant un partage, le message passe toujours.

Je remarque que souvent les gens partent de loin avec leur santé, je les trouve courageux, persévérant, et j'aime les soutenir dans leur démarche. Je vois des miracles s'accomplir, de belles guérisons du corps et de l'« émotionnel ». Malgré qu'il y ait encore bien du travail à faire, il y a quand même une grande prise de conscience, sur la planète, où les mots *santé* et *bien-être* reviennent souvent dans le langage des gens. C'est encourageant.

Je terminerai en vous disant que lorsque ma santé fut prise en charge, j'ai décidé de compléter ma guérison en investissant, plus spécifiquement, dans ma santé émotionnelle. J'en avais grand besoin, et quand l'élève est prêt, le maître arrive!

Cela m'a permis de boucler la boucle et d'apporter un équilibre entre mon corps et mon esprit; équilibre indispensable à une santé globale optimale (j'aime bien cette expression!).

## Conclusion

À la lumière de ce que je vous ai partagé tout au long de ce livre, j'espère, à mon humble façon, avoir réussi à vous convaincre de l'importance de miser sur votre santé pour une vie meilleure et plus équilibrée et que l'essentiel, ce n'est pas de tout chambarder en s'imposant des changements drastiques d'habitudes de vie (sauf, bien évidemment, si le corps est rendu à bout de souffle), mais plutôt de s'engager à les améliorer; l'objectif étant de maintenir ou de retrouver une santé globale optimale. Il vaut mieux faire de petits changements et persévérer que de partir sur de grands projets et laisser tomber en cours de route. Pour ceux qui ont déjà entrepris une démarche, j'espère que ces écrits vous auront permis de garder la flamme et de poursuivre votre cheminement.

J'espère aussi que ce livre vous aura donné l'occasion d'augmenter vos connaissances sur le fonctionnement du corps humain et, de fait, vous aura permis de mieux comprendre les causes à l'origine de vos malaises ou maladies et ainsi vous permettre d'être en mesure de prendre des décisions éclairées quant au choix de l'approche, traditionnelle ou naturelle, que vous adopterez pour améliorer ou contrer vos problèmes de santé. Lorsque l'on comprend vraiment ce qui se passe, les peurs, les craintes s'effacent et les solutions nous semblent beaucoup plus évidentes. J'ai moi-même opté pour tellement d'avenues auparavant que, aujourd'hui, avec mes nombreuses expérimentations en médecine douce, j'ai choisi de voir personnellement à ma santé et d'appliquer les principes naturels appris lors de ma formation en naturopathie qui me fournissent suffisamment d'informations pour intervenir.

Pour terminer, si vous n'aviez qu'une seule chose à retenir, c'est que vous devez nettoyer votre organisme pour qu'il puisse se débarrasser de ses toxines accumulées au fil des années et poursuivre, par la suite, l'entretien de votre intérieur, car sinon l'extérieur sera le témoin de vos excès ou de vos négligences. La peau en est d'ailleurs un des meilleurs exemples, car elle est le reflet de votre intérieur. Si votre peau est terne, qu'elle se couvre de différentes desquamations, qu'elle montre des signes d'irritations, de démangeaisons, etc., c'est que la gestion des déchets à l'intérieur de l'organisme ne se fait pas adéquatement et ce n'est que le début des manifestations de cet engorgement de toxines! Il faut donc, en plus de changer certaines habitudes de vie, avoir recours à cette technique qu'est l'irrigation du côlon pour vous permettre de débarrasser le côlon des déchets qui stagnent et qui, s'ils ne sont pas rapidement expulsés, retourneront dans la circulation sanguine occasionnant de multiples dommages à vos cellules (saviez-vous que plus de 25 % de la détoxification de l'organisme se fait au niveau des intestin? Alors imaginez son efficacité s'il est encombré de matières indésirables!) . N'oubliez-pas, par contre, qu'une préparation est nécessaire avant de commencer cette démarche de nettoyage. Certains vous diront que ce n'est pas obligatoire, mais moi, j'ai constaté au cours de mes années de pratique que cette préparation fait toute la différence; le traitement du côlon est plus facile et beaucoup plus efficace. Donc, à moins d'avoir consommé toute votre vie que des aliments vivants (légumes, fruits, germinations, lait cru, etc.), ce dont je doute fort, tout le monde a besoin de ce genre de traitement.

Et pour ceux qui montrent encore des signes d'inquiétudes, sachez que les lavements ont toujours existé. Jadis, nos grand-mères les utilisaient pour accompagner leur période de purge; le principe étant de libérer rapidement le corps de cette surcharge de toxines. On les utilisait aussi lors de malaises, d'inconforts, de fièvre, de maladies contagieuses, etc. De plus, contrairement aux croyances qui veulent que les lavements perturbent la flore intestinale, sachez que ce sont des informations erronées. Il existe des éléments beaucoup plus perturbateurs (alimentation désuète, prise d'antibiotiques, médicaments, alimentation carnée, constipation chronique, etc.) pour la flore que ces simples lavements.

Alors, allez de l'avant. Vous serez surpris des résultats rapides sur votre santé.

Donc, si la santé vous intéresse, voici en résumé les meilleurs conseils que je peux vous donner :

- Diminuez dans votre alimentation, la consommation de pain et de pâtes. Augmentez l'apport en aliments crus et vivants, soit trois à quatre portions de fruits frais par jour et de cinq à sept portions de légumes (crus, vapeur) par jour. Toujours avoir une portion minimum d'éléments crus dans votre assiette à chaque repas (légumes crus, germinations, jeunes pousses, salades, etc.).

- Favorisez la consommation de protéine de qualité (animale ou végétale). Optez pour les jeunes viandes, peu de viandes rouges, le gibier, le poisson frais, la combinaison légumineuses et céréales entières ou noix qui forment ensemble une protéine complète.

● Favorisez la consommation de bonnes sources de gras (huile d'olive, de tournesol, de sésame) non hydrogénées, de première pression, à froid, biologique si possible. Évitez les gras saturés et les gras trans.

● Ayez une alimentation variée.

● Malgré les controverses, les produits laitiers de vache demeurent une source courantes de désordres digestifs qui vont jusqu'aux réactions inflammatoires surtout dans les cas où il y a intolérance au lactose, mais aussi lorsque l'on se retrouve devant un métabolisme déficient des gras saturés ou des protéines qui les composent (les produits laitiers).

● Ajoutez du « vert » (chlorophylle) à l'eau que vous buvez et à votre alimentation (légumes verts, germinations, jeunes pousses, jus de légumes, jus d'herbe de blé, jus d'orge, brocoli, choux de Bruxelles, jeunes pousses d'épinard, etc.).

● Consommez une source de fibre de psyllium, qui s'ajoute à celle que l'on retrouve dans l'alimentation (fibres provenant des fruits, légumes, germinations, céréales, etc.) et qui fait un travail beaucoup plus en profondeur de nettoyage de l'intestin grêle au côlon. (Je vous suggère le BioFlo I de Actumus qui fut un des produits importants au retour de ma santé intestinale). De plus, il facilite le décollement et l'expulsion des vieilles matières collées sur les parois intestinales.

● L'ajout d'un laxatif doux peut aussi être nécessaire au début pour facilité le travail du foie, complice d'un transit intestinal effectif.

● Si vous désirez approfondir votre démarche de nettoyage, consultez un bon naturopathe qui vous guidera et vous proposera la ou les cures appropriées à vos besoins. N'oubliez pas d'inclure dans votre démarche l'hygiène de côlon, car si vous sollicitez vos organes d'élimination (foie, reins, intestin), il est indispensable que d'abord la porte de sortie des toxines soit fonctionnelle (deux à trois selles par jour) sinon les déchets seront réacheminés à l'intérieur.

- Allez dehors, bougez au moins une heure par jour. Oxygénez-vous, c'est essentiel.

- Activité physique d'une intensité moyenne au moins trois fois par semaine.

- Moments de détente (relaxation, méditation, etc.) pour refaire le plein.

- Accordez-vous de meilleures nuits de sommeil. C'est souvent en période de repos que s'effectue la plus grande partie du nettoyage réalisé par les organes d'élimination. Les réparations et la construction des tissus se fait aussi à cette période.

- L'ajout d'un bon supplément de minéraux, vitamines, antioxydant est essentiel, l'alimentation ne fournissant pas malheureusement tout ce dont on a besoin.

- Prenez le temps de consulter un bon naturopathe pour établir un bon bilan de santé et d'avoir la possibilité d'avoir des conseils santé appropriés et personnalisés.

- Pour ce qui est des cures, consultez un professionnel de la santé naturelle qui a une approche semblable à celle de Bernard Jensen. Elles sont bien adaptées à nos réalités et respectent le rythme de chacun. Évitez les longues séries d'irrigation sans préparation, qui sont épuisantes et qui ne sont pas nécessairement profitables. Soyez vigilant.

Sur ce, bonne santé et au plaisir!

# Chapitre 5

## *Un clin d'œil sur différents thèmes qui me tiennent à cœur*

### Volet irrigation du côlon

Je ne peux passer sous silence mes impressions concernant l'irrigation du côlon, métier que j'ai choisi de pratiquer à 38 ans, et qui m'a permis de mieux comprendre encore l'origine des malaises et maladies recensés auprès de ma clientèle au cours des dix dernières années.

Premièrement, n'allez pas croire qu'un traitement d'hygiène du côlon, qui dure en moyenne de 45 à 60 minutes, va régler tous vos malaises qui perdurent depuis de nombreuses années. Un traitement n'est malheureusement pas miraculeux surtout pas les premières fois. J'ai fréquemment effectué des traitements chez des personnes qui avaient l'abdomen tellement gonflé que tout ce qui réussissait à être expulsé était des gaz et cela parfois pendant plusieurs traitements consécutifs. L'intestin est parfois si tendu et si ballonné que l'entrée d'eau devient presque impossible. Si cette description vous ressemble, commencez d'abord par éliminer les aliments et les boissons qui augmentent la fermentation et, de fait, la production de flatulences; le sucre, les boissons gazeuses, l'alcool, les combinaisons de protéines-sucre, féculents-sucre, féculents-fruits qui créent un milieu intestinal de fermentation et favorisent la production de gaz.

Il est important, voire essentiel, de se préparer lorsque l'on veut entreprendre un programme de nettoyage accompagné d'irrigation du côlon. Cela nécessite une préparation d'au moins quinze jours en commençant par :

- Manger plus cru et vivant : légumes, fruits, germinations.

- Boire 1,5 litre d'eau par jour au minimum.

- Diminuer et, pour ceux qui peuvent le faire, cesser de manger du pain et des pâtes, car ces aliments absorbent le peu d'eau dans les intestins, le chyme et le chyle deviennent épais et le côlon a de plus en plus de difficulté à faire avancer ces repas épais et collants.

- Personnellement, je recommande la prise de fibres de psyllium combinée avec de l'eau (une cuillère à thé dans 250 ml d'eau deux fois par jour avant les repas).

Pourquoi prendre du psyllium?

Le rôle du psyllium, source de fibres solubles puissantes ayant la capacité d'absorber et de garder beaucoup d'eau, va permettre, en descendant dans le tube digestif, de nettoyer les parois et d'acheminer beaucoup d'eau au côlon. Cette combinaison permettra non seulement de ramollir les selles présentes mais d'imbiber les déchets stagnants sur les parois, autant de l'intestin grêle que du côlon, et facilitera ainsi un meilleur transit intestinal ou un meilleur traitement en irrigation.

De plus, j'ai pu constater, au fil de mes années de pratique, que les traitements d'hygiène du côlon sont beaucoup plus efficaces quand les personnes consomment du psyllium. Non seulement la sortie des selles est plus facile, mais on réussit à éliminer les vieilles matières fécales qui y séjournent depuis longtemps, collées sur les parois intestinales. Car ce n'est pas seulement l'eau qui permet d'aider à éliminer, mais bien une préparation préliminaire adéquate incluant la prise de fibres de psyllium.

J'aime mieux irriguer une personne moins souvent pour donner le temps aux fibres de travailler. Souvent, les gens se plaignent que dès qu'ils commencent à prendre du psyllium, ils se sentent gonflés et ballonnés. C'est normal au début. Quand les intestins sont pleins depuis plusieurs années et qu'on ajoute subitement un apport en fibres, c'est comme la goutte qui fait déborder le vase. C'est pour cela que j'insiste sur la consommation d'aliments crus, la diminution de féculents pour accélérer le processus. De plus, on peut introduire progressivement le psyllium, en commençant par un quart de cuillère à thé et en augmentant graduellement à une cuillère à thé. Vous pouvez aussi, au début, pour vous aider, utiliser un laxatif doux à base de cascara sagrada qui va améliorer le péristaltisme. À la limite on peut se faire de petits lavements à la maison avec une poire rectale ou un sac caoutchouté spécifique pour les lavements vendus en pharmacie. Cela va permettre de faciliter l'expulsion des selles compactées qui forment des bouchons et qui empêchent le transit normal. Les futures irrigations seront d'autant plus faciles et les résultats beaucoup plus intéressants, et pour la personne et pour l'hygiéniste.

Malgré les fausses croyances concernant le psyllium qui sont véhiculées, et j'en ai entendu de toutes sortes dans ma pratique, quand on comprend bien le rôle des fibres de psyllium et qu'on en connaît vraiment la composition, on se rend compte de l'importante contribution qu'elles ont pour optimiser les traitements d'hygiène du côlon.

Quand on irrigue des personnes qui sont aux prises avec des problèmes de constipation depuis plusieurs années, on ne peut s'attendre à des « miracles ». La plupart du temps, lors de l'irrigation, il y a peu de sorties, les matières fécales étant très sèches et dures, la présence de gaz compactés empêchent l'entrée d'eau, et même, parfois, les matières sont tellement volumineuses qu'elles obstruent la canule. Alors, il est très difficile d'obtenir des résultats encourageants rapidement quand on souffre de constipation chronique. Il faut donc travailler d'abord à ramollir le tout, opter pour des changements alimentaires afin d'éviter de contribuer à maintenir cet état, bouger plus (parce que l'exercice physique a aussi un rôle à jouer dans le mouvement de l'intestin), boire beaucoup d'eau, etc.

Si vous allez en irrigation pour la première fois et qu'il y a peu de sorties, l'hygiéniste vous dira peut-être que c'est parce que c'est « propre »; n'en croyez rien. Prenez du psyllium et retournez-y, vous verrez la différence. Persévérez et recommencez le traitement au moins trois fois à raison d'un traitement par semaine ou au deux semaines (selon votre état de santé ou des résultats obtenus) et vous verrez la différence et vous serez surpris de voir tout ce qu'il y a d'accumulé.

Le premier traitement n'est pas toujours agréable, le stress nous joue parfois des tours. On est moins détendu, plus crispé et l'intestin nous le démontre. Parfois, la fatigue est au rendez-vous, c'est normal. Votre organisme à travaillé fort pour laisser sortir de grandes quantités de toxines. Les électrolytes peuvent aussi être débalancés, c'est pour cela que j'introduis dans l'eau, pendant le traitement, de la chlorophylle afin de balancer les minéraux.

Plus votre corps est désintoxiqué, plus vous avez de l'énergie après un traitement du côlon, mais c'est très variable d'un individu à l'autre. C'est pourquoi je préfère examiner en consultation avant de proposer ce traitement à quelqu'un que je ne connais pas et qui n'a aucune préparation ni expérience de ce type de traitement. Cela nous permet de mieux comprendre les besoins des gens, de vérifier leur vitalité et ensuite d'établir un plan d'action personnalisé. On peut même aller plus loin en suggérant plus tard la participation à un programme de nettoyage plus spécifique. Peu importe la cure à entreprendre, l'hygiène du côlon demeure le centre d'élimination rapide des déchets réacheminés par la sollicitation des autres émonctoires. Car il est important d'éliminer suffisamment ces déchets toxiques pendant votre cure, l'irrigation ou les lavements sont alors vos meilleurs alliés.

Vous seriez surpris de constater combien de personnes sont aux prises avec des problèmes intestinaux. J'en rencontre des centaines par année dans mes bureaux. Imaginez dans les bureaux de médecin! Un intestin propre et fonctionnel permet d'améliorer un état de santé radicalement.

Voici la liste des commentaires que j'entends quotidiennement :

- J'ai les idées plus claires.
- J'ai une meilleure concentration.
- Je n'ai plus de gaz.
- J'élimine beaucoup mieux et plus facilement.
- Je n'ai plus mal dans le bas du dos.
- Je n'ai plus mal aux jambes.
- Mes varices me font moins mal.
- Je n'ai plus de champignons sous les ongles.
- Ma peau est moins ridée.
- Mon teint est plus clair.

- Je n'ai plus d'acné autour du menton.
- Je suis vraiment moins fatigué.
- Je digère mieux.
- Je suis beaucoup moins ballonné.
- Je n'ai plus de brûlement d'estomac.
- Mes menstruations sont moins douloureuses.
- Je dors plus calmement.
- Je suis moins agressif.
- J'ai moins faim.
- J'ai perdu du poids.
- J'ai le goût de travailler, et j'en oublie...

Alors, persévérez dans vos traitements, ce n'est pas miraculeux, mais vous verrez de grandes améliorations de votre état de santé.

## Mon expertise comme hygiéniste du côlon

Dans cette partie, j'aimerais vous partager l'expertise que j'ai acquise dans mes dix années de pratique comme hygiéniste du côlon. L'élaboration de ces expériences saura, je l'espère, démystifier la pratique d'irrigation du côlon et démontrer tout le professionnalisme qui s'y rattache.

L'hygiène du côlon, quoique sans danger et sans douleur en général, peut être dérangeante et ne pas convenir à certaines personnes. C'est pourquoi préalablement à tout traitement du côlon, une évaluation plus ou moins approfondie est faite; bilan de santé, vitalité, habitudes de vie, alimentation, médication ou autres traitements médicaux, constipation chronique, présence ou absence de maladies, maladies chroniques, etc. Tous ces paramètres seront évalués avant même d'entreprendre la démarche. Si la personne ne présente aucun problème de santé spécifique, une préparation préalable sera suggérée dans le but de bien préparer l'intestin à ce traitement. Par contre, si l'état de santé de la personne est précaire ou que sa vitalité est limitée, elle sera alors dirigée automatiquement vers une autre approche; l'irrigation du côlon n'étant pas l'élément à prioriser au départ. D'autres étapes seront à franchir auparavant. Le résultat sera le même mais la procédure se fera plus progressivement. Cette façon de travailler m'a permis, tout au long de ma pratique, de mieux évaluer les besoins et les capacités des personnes que je traite.

Le côlon est un organe très facile à nettoyer, mais quand il est surchargé de matières compactées, et cela depuis des dizaines d'années, il ne faut pas s'attendre à ce que quelques séances d'irrigation redonnent à l'intestin toute sa vitalité, son tonus et son intégrité. Cela demande de la patience, de la persévérance et de l'investissement tant pour le client que pour l'hygiéniste.

Les personnes désireuses d'apporter de réelles améliorations à leur état de santé ne doivent alors pas se surprendre qu'avant ou pendant les traitements d'hygiène du côlon, certains changements dans leurs habitudes de vie leur soient proposés; alimentation saine, plus grande consommation d'eau, diminution de l'alcool et de boissons gazeuses (car elles favorisent grandement les gaz et les ballonnements, ce qui complique et prolonge le traitement), l'exercice physique, etc. Tout cela dans le but de favoriser un traitement efficace, sans inconforts, qui donnera les résultats escomptés et qui aura un impact réel sur la santé.

Les gens qui entreprennent le nettoyage de leur côlon et qui respectent les recommandations sont toujours surpris des résultats et de la sensation de bien-être que cela leur procure. Par contre, là où cela se complique, c'est lorsque l'on traite des gens qui maintiennent leurs mauvaises habitudes alimentaires, ou qui consomment beaucoup de médicaments, d'alcool ou des produits illicites, ou qui ne suivent pas les recommandations préalables. Ces clients vivent parfois le traitement un peu plus difficilement, car comme leur niveau de toxémie est plus élevé, lorsque le processus de nettoyage s'enclenche, certains inconforts ou réactions plus marquées peuvent survenir : diarrhées, nausées, étourdissements, fatigue, lassitude.

Malheureusement, certaines personnes paniquent devant ces réactions et cessent le traitement ou le programme de nettoyage étant convaincues que cela ne leur convient pas. Ce qu'elles vivent est **inconfortable** mais **tout à fait normal**; ce n'est que l'organisme qui répond au processus de nettoyage.

En naturopathie, on appelle ces réactions des crises de désintoxication (cela nous indique que l'organisme possède encore une certaine vitalité pour se débarrasser de ses toxines). Il suffit alors de ralentir tout simplement le processus et tout rentre dans l'ordre. Alors soyez rassuré et persévérez. Vous serez fier des résultats. J'ai passé par là au cours de mes processus de désintoxication et je m'en porte d'autant mieux. Il est par contre indispensable, puisque parfois le processus du retour à la santé implique la présence de certains malaises, d'être bien guidé par une personne compétente, qui a passé par ces processus de désintoxication, et qui saura vous accompagner adéquatement dans cette démarche.

J'aimerais aussi attirer votre attention sur certaines autres conditions, auxquelles j'ai fait face dans ma pratique, qui peuvent rendre le processus de nettoyage plus difficile. Les personnes chargées d'émotions très négatives, de colère, de ressentiments profonds sont souvent bouleversées lorsque l'on commence à dégager les intestins. Sachant que cette partie de notre anatomie est souvent identifiée comme étant le centre de nos émotions, il ne faut alors pas se surprendre lorsque l'on travaille cet organe que l'esprit aussi réagisse; certaines personnes vivent des moments chargés d'émotions difficiles à contenir. De plus, lorsque l'on dégage le côlon, le foie, foyer de la colère, se libère de ses vieilles toxines et du fait peut enclencher des réactions plus intenses; certaines personnes peuvent même vomir. Mais, il ne faut jamais perdre de vue **que ce sont tous des processus de « guérison »** amorcés par l'organisme pour l'organisme et que tout cela ne peut se faire sans certaines souffrances; la maladie elle-même ayant ses lots de souffrances, alors! La seule différence, c'est qu'après un processus de nettoyage, les sentiments négatifs sont libérés au lieu d'être enfoncés plus profondément. On réalise à ce moment-là combien on est privilégié de connaître ce bien intérieur, cette paix, ce calme qu'un corps en santé nous procure.

Les avenues sont différentes pour chaque personne. Moi, j'ai nettoyé mon corps avant de travailler mes émotions. D'autres doivent libérer leur colère avant. Chaque cas est unique, soyez à l'écoute de votre corps.

J'aimerais en terminant soulever un point important que j'ai pu observer tout au long de ma pratique. Les gens ont de fausses conceptions concernant la définition de ce qu'est un corps en bonne santé. Plusieurs pensent que la toxémie (niveau de toxines dans l'organisme) ne se voit que chez les personnes qui fument, qui boivent beaucoup d'alcool, qui consomment de la drogue, qui souffrent d'obésité ou de maladies chroniques et dégénératives. Malheureusement, ce ne sont pas les seuls critères pour évaluer le niveau de toxémie chez un individu. Les gens n'identifient pas, malheureusement, les nombreux maux ou malaises qu'ils ressentent quotidiennement à une surcharge de déchets dans l'organisme qui met en péril son équilibre. Ils les font plutôt disparaître à coup d'analgésique, d'antalgique, d'anti-inflammatoire, d'antibiotiques, etc. Que dire de ces maux : migraines occasionnelles, reflux gastriques, brûlements d'estomac, diarrhées fréquentes, fatigue, manque d'énergie, lassitude, impatience, manque de concentration, menstruations douloureuses, et la

liste pourrait s'allonger. Ce sont tous des signes qui nous indiquent que l'organisme a atteint sa limite d'emmagasinage
de déchets. À la longue, les symptômes deviendront de plus
en plus fréquents, de plus en plus intenses et, un beau jour,
la maladie grave frappe à la porte et on s'indigne qu'elle ne
nous ait pas avertis plus tôt! Trouvez l'erreur!

Donc, soyez attentif et misez plutôt sur la prévention,
vous verrez, vous en ressortirez gagnant et n'oubliez pas que
la santé est un choix, une décision, et c'est en cultivant vos
connaissances que vous pourrez vraiment et efficacement intervenir sur elle. Informez-vous, cherchez des réponses, des
liens à vos malaises, à vos états d'âme, développez votre sens
critique et vous verrez que les réponses ne sont pas si com-
pliquées. Vous aurez le choix d'ouvrir vos horizons ou d'écou-
ter ceux qui nient les bienfaits de l'approche naturopathique;
cela vous permettra de rester dans vos mauvaises habitudes,
c'est tellement moins dérangeant.

Pour ceux qui veulent changer leur qualité de vie, je vous
encourage à persévérer et à vous entourer de gens qui pensent comme vous. Allez vous chercher du *coaching* pour entreprendre votre démarche, il existe d'excellents naturopathes
ou autres thérapeutes qui sauront vous guider dans la bonne
direction.

La vie vaut la peine d'être vécue en santé et en harmonie.

## Volet hérédité

Chaque individu vient au monde avec un bagage génétique qui lui est propre. Les informations inscrites sur chacun de ses gènes déterminent non seulement ses caractéristiques physiques, couleur des yeux, des cheveux, taille, tempérament, etc., mais aussi ses capacités métaboliques, physiologiques, psychologiques, émotionnelles, digestives, d'élimination, etc. Ces informations provenant de son patrimoine génétique (ses ancêtres) ne peuvent être modifiées. Par contre, puisqu'elles sont soumises quotidiennement à l'influence de différents éléments tels que les mauvaises habitudes alimentaires, les styles de vie effrénés, le sédentarisme, l'environnement immédiat (pollution, radioactivité, etc.), les rayons ultraviolets, les émotions intenses, la médication, etc., à court ou à long terme, elles peuvent subir des modifications, des transformations. La cellule, hôte du code génétique, confrontée à ces agressions, a la possibilité de faire intervenir son système de réparation (système S.O.S; enzyme spécifique) afin de corriger les accrocs au code génétique en remplaçant le gène défectueux par une copie conforme, sinon elle devra fonctionner avec ces nouvelles données, ces modifications irréversibles.

Malheureusement, certaines déficiences ou dysfonctionnements d'un ou plusieurs métabolismes, de fonctions glandulaires ou d'organes, peuvent se présenter et toucher directement notre santé. Ce sont des informations inscrites qui nous sont transmises et qu'il est impossible de modifier ou d'effacer. Par contre, on peut, dans plusieurs cas, en retarder, ralentir, limiter les conséquences néfastes sur l'organisme en ciblant et en modifiant certains comportements, habitudes alimentaires, styles de vie, environnement, qui provoquent l'apparition ou l'aggravation des symptômes physiologiques reliés à ces déficiences génétiques.

Par exemple, une personne au prise avec une fonction métabolique déficiente quant à l'élimination des purines (déchets du métabolisme des acides nucléiques ou des protéines ayant comme conséquence : élévation du taux d'acide urique dans le sang) est confrontée à des problèmes d'accumulation de ces résidus des articulations (maladies : goutte, arthrose). On ne peut changer ces informations erronées sur le métabolisme impliqué, mais en diminuant la consommation d'aliments produisant beaucoup de déchets sous formes de purines, entre autres les protéines animales, en s'alimentant avec des aliments vivants et nutritifs, peu acidifiants, en éliminant les voleurs de minéraux (café, thé, liqueurs douces, eau gazéifiée, chocolat, alcool), en ajoutant parfois certains minéraux, vitamines, gras essentiels déficients dans l'alimentation, les chances que l'on ralentisse la progression du processus d'accumulation de cristaux d'acide urique dans les articulations, des crises d'inflammation et de la douleur, seront bonnes. Cela demande de la rigueur et de la persévérance mais c'est possible à réaliser. On pourra travailler aussi avec des plantes qui soutiendront l'organisme et permettront de réparer certains dommages occasionnés par cette accumulation des cristaux d'acides uriques amalgamés avec le calcium (pour tamponner l'acidité générée) des différentes articulations (doigt, orteil, poignet, cou, côlonne vertébrale, hanche, etc.), réparation du cartilage, amélioration de la mobilité, disparition de l'inflammation et de la douleur, etc.).

On pourrait donner des détails sur plusieurs autres cas, mais en appliquant les nombreuses recommandations mentionnées tout au long du livre, vous verrez votre santé s'améliorer et vous ferez vous-même vos propres liens entre les comportements alimentaires, sédentarité, etc., qui peuvent être reliés à vos problématiques de santé génétiques, ou sinon, prenez le temps de consulter un praticien de santé naturelle qui pourra vous guider dans vos démarches.

Il est donc souvent possible, aussi longtemps que le corps possède encore assez de vitalité pour répondre à ce nouveau défi, d'intervenir même si parfois l'approche traditionnelle est unanime pour dire qu'il n'y a plus rien à faire. Que vous devrez apprendre à vivre avec cette maladie. Que vous ne pouvez rien faire pour améliorer votre situation.

*C'est donner peu de crédit au pouvoir autoguérisseur du corps humain.*

*Homme de peu de foi dans les forces de la nature, aurait-on dit jadis!*

Pour terminer, sans être défaitiste, il est important de noter que, malheureusement, de génération en génération, les forces vitales diminuent progressivement. On n'a qu'à penser à la quantité de médicaments prescrits pour maintenir un semblant de vitalité chez les individus. On peut aussi, en observant nos propres enfants, réaliser combien les informations transmises génétiquement sont de plus en plus porteuses de déficiences et sont le lot de combien d'entre eux : allergies, allergies sévères, voire mortelles, asthme, épilepsie, obésité, troubles de comportement, hyperactivité, manque de concentration, diabète, cancer, autisme, pour n'en nommer que quelques-unes. On constate aussi assez facilement que nos parents qui sont dans les 70-80 ans et plus ont de plus grandes réserves que nous qui sommes âgés dans les 40-50 ans. En tant que thérapeute, je trouve que la santé des gens de ma génération, de la quarantaine avancée, est en très mauvais état et que la prise de médicaments va en augmentant. J'ai d'ailleurs plusieurs amies malades et décédées de maladies dégénératives ou de cancer.

Pas surprenant! L'environnement des cellules étant de plus en plus toxique et de moins en moins nutritif; la race humaine s'affaiblit et on fait place à de nouvelles maladies de plus en plus dévastatrices. À l'époque, c'était le manque d'hygiène, la pauvreté et le manque de connaissances sur le fonctionnement du corps humain qui étaient principalement à l'origine des maladies. Mais aujourd'hui, ce n'est ni le manque d'hygiène ni le manque de connaissances, mais l'irrespect des lois fondamentales de la nature; en offrant comme nourriture que des aliments transformés, dénaturés, en s'imposant des rythmes de vie effrénés, des relations houleuses et conflictuelles, en négligeant de prendre le temps de vivre pleinement, en acceptant que nos enfants passent des heures à leur ordinateur où sédentarité et malbouffe sont au rendez-vous et quoi d'autre encore. Il me semble évident que les maladies qui nous affligent sont le reflet de notre société actuelle.

En terminant, nous savons que le bagage génétique dont nous avons hérité est immuable, mais sachons que nous avons la possibilité, dans plusieurs cas, de le déjouer en optant pour des habitudes de vie saines qui le contraindra à se replier en attendant nos prochains écarts. Alors, il n'en tient qu'à vous d'arrêter cette course folle et de prendre le temps de déterminer les causes probables de vos inconforts et de vos malaises et d'intervenir.

## Volet ménopause

La ménopause est une étape normale dans la vie d'une femme. C'est le moment où le créateur reconnaît le travail assidu féminin, mois après mois, année après année, et lui octroie enfin une pause bien méritée. Concrètement, c'est le moment où des changements physiologiques au niveau hormonal s'opèrent, les ovaires qui avaient le mandat de produire les hormones sexuelles, œstrogènes et progestérone voient en grande partie leur production diminuer, le mandat de procréation tirant à sa fin, et doivent léguer leur travail à d'autres glandes : les surrénales et la thyroïde qui prendront la relève dans la continuité de la production hormonale (car ces hormones sont encore nécessaires pour d'autres fonctions).

Malheureusement, la majorité des femmes arrivent à cette étape de leur vie avec des glandes déjà épuisées par le stress, les rythmes de vie effrénés et, de plus, déminéralisées, dévitalisées, intoxiquées. Comment pensez-vous que ces glandes peuvent répondre à ces nouvelles tâches quant elles sont déjà débordées et épuisées? Alors, pas surprenant que la transition et le transfert des « responsabilités » se fassent en présence d'inconforts et de ratés. Bouffées de chaleurs, insomnie, dépression, perte de libido, sécheresse vaginale, perte de mémoire, prise de poids, ostéoporose, pour ne nommer que quelques-uns des symptômes reliés à ces changements, sont le lot de nombreuses femmes dans ce monde moderne.

On a bien le temps d'y penser diront certaines, mais malheureusement, la plupart arrivent à la ménopause découragées par rapport à tous ces inconforts et à cette instabilité. Il est parfois difficile de croire qu'avec toutes nos connaissances scientifiques, notre avance technologique, médicale, etc., nous nous retrouvons aux prises avec ces dérèglements physiologiques et que la seule solution proposée soit la prise d'hormones synthétiques avec toutes les conséquences qu'on leur connaît.

Alors, informez-vous sur les solutions naturelles qui existent pour d'abord contrer les inconforts et retrouver l'équilibre, et ensuite intervenir sur vos habitudes de vie qui contreviennent au relais ovaires-surrénales-thyroïde. Et pour les femmes qui ne sont pas encore rendues à cette étape, prenez le temps de vous informer sur vos meilleurs alliés pour supporter vos glandes afin que lorsqu'elles devront prendre la relève, elles soient pleines de vitalité.

Sachant qu'il n'est pas toujours facile de changer nos habitudes de vie, il demeure important, si vous voulez une ménopause harmonieuse, de prendre le temps de vérifier si vous offrez à vos glandes les conditions idéales pour leur soutien.

Voici donc quelques recommandations qui pourraient vous être d'une grande utilité :

- évitez les aliments acidifiants qui épuisent les glandes surrénales et la thyroïde : thé, café, chocolat, viandes rouges, céréales raffinées, sucres (qui contribuent en plus à augmenter les bouffées de chaleurs par fermentation intestinale)

- favorisez une alimentation saine et équilibrée. Beaucoup de fruits et de légumes crus. Céréales entières. Germinations.

- optez pour des aliments riches en vitamines du groupe B (levure, germe de blé, céréales complètes, polissure de riz, riz brun, pollen d'abeille, gelée royale, etc.)

- choisissez des aliments riches en iode, cuivre, zinc, sélénium et en tyrosine : algues marines, œuf, carotte

- allez vers des plantes nutritives pour les surrénales : réglisse, ortie, épinette noire (huiles essentielles), pollen d'abeille, gelée royale, vitamine C (fruits frais)

- Préférez des plantes nutritives pour la thyroïde : algues marines, pollen, gelée royale

- gestion du stress : prenez le temps de faire des activités physiques au moins deux à trois fois par semaine qui vous permettront de mieux éliminer les agents intoxicants produits par le système nerveux en période de stress : yoga, entraînement, vélo, marche rapide, natation, etc.

- gestion des déchets : on devrait éliminer au moins deux à trois selles par jour. Dans le cas contraire, on s'empoisonne avec nos propres déchets et on maintient un milieu de fermentation intestinale. Et qui dit fermentation dit chaleur!

Alors, pour nous préparer à une ménopause harmonieuse, il vaut mieux prévenir que d'être contraintes à vivre les inconforts que toutes appréhendent. La ménopause est une période où nous devrions faire le bilan d'une partie de notre vie et nous dire que le meilleur s'en vient!

## Volet système nerveux

J'aimerais, dans ce volet, non pas développer sur sa complexité fonctionnelle, mais plutôt sur les liens étroits qui existent entre les malaises ou maladies physiologiques et un système nerveux irrité, intoxiqué, épuisé.

Mais tout d'abord, j'aimerais vous partager mes impressions par rapport aux nombreuses manifestations apparentes et de plus en plus fréquentes de systèmes nerveux irrités et épuisés chez de nombreux individus, autant chez les adultes que chez les enfants.

À l'approche de la cinquantaine, je n'aurais jamais pensé qu'un jour les gens de ma génération anticiperaient avec tant de hâte l'arrivée de l'âge de la retraite et qu'avant même le temps d'y parvenir, les *burn-out*, les dépressions, les arrêts de travail, etc., seraient le lot de plusieurs d'entre eux.

Comment se fait-il que nous soyons si pressés de cesser ou de ralentir nos activités, notre travail et que ce soit notre objectif?

Comment se fait-il que de plus en plus de prescriptions d'antidépresseurs soient nécessaires pour que nous puissions contrôler nos états d'âmes qui nous empêchent de poursuivre et d'aller de l'avant?

Je pourrais vous dire que mes réponses, je les ai au quotidien par la rencontre des nombreuses personnes qui viennent me consulter. Déminéralisées, dévitalisées, carencées, intoxiquées, elles arrivent épuisées, irritées, à bout de souffle, à bout de nerf, au bout du rouleau. Le travail, les promotions, les formations, la famille, l'hypothèque, le crédit, les activités familiales ou professionnelles, les projets, les cours, la garderie, l'entraînement physique, la santé de tout un chacun, etc. On y ajoute les repas-minute, les mets préparés, les surgelés, les friandises, la cigarettes, le café (histoire de nous réveiller), l'alcool (histoire de nous relaxer), les repas esquivés par manque de temps ou d'appétit, etc. Comment pensez-vous qu'un système nerveux évoluant dans ce genre de contexte puisse soutenir l'organisme dans ces aléas de la vie? Et si l'ultime « carburant » pour se rendre à bon port en est un de mauvaise qualité, combien de temps pensez-vous qu'il réussira à tenir la route?

Les gens pensent parfois, malheureusement, que le seul fait de cesser ou de ralentir leurs activités leur permettra de reprendre leur souffle, de retrouver leur motivation, de poursuivre leurs défis, de remettre à neuf leur système nerveux.

Ils croient que l'utilisation de certaines substances, permettant artificiellement de stimuler ou d'inhiber certaines réactions nerveuses, certains états d'âmes, régleront leurs problèmes. À court terme, la réponse semblera satisfaisante, mais ce ne sera malheureusement pas suffisant, car à court ou à moyen terme, ces états referont surface et souvent avec plus d'intensité. Il faudra, si l'on veut vraiment améliorer notre état nerveux, accorder beaucoup plus d'attention et de compréhension à ce système pour apporter les corrections pertinentes nécessaires, c'est-à-dire reconnaître ce qui l'anime, le nourrit vraiment et cibler davantage ce qui l'épuise, l'irrite, le perturbe.

On pourrait aussi appliquer le même questionnement par rapport à la santé nerveuse de nos enfants.

Comment se fait-il que les expressions « manque de concentration, déficit d'attention, hyperactivité, troubles d'apprentissage, anxiété, angoisse, dépression, etc. » soient monnaie courante dans notre langage lorsque l'on parle du comportement de nos enfants? Les parents sont dépassés, les milieux scolaires sont perturbés par ces comportements dérangeants ou par ces manques de motivation, ces manques de passion, surtout chez les adolescents. Les solutions proposées, il y en a peu. À part la médication ou les consultations psychologiques, peu d'avenues nous sont suggérées. Avec la pression, à la longue, les parents n'ont pas d'autres moyens que d'opter pour les solutions médicales proposées. Aucune référence à l'alimentation ou aux habitudes vie; il n'y a aucun rapport diront certains! C'est un dysfonctionnement cérébral et on n'y peut rien.

Dans l'approche naturopathique, nous n'avons pas tout à fait la même vision. Nous avons plutôt tendance à chercher les causes initiatrices du problème. Pour la plupart des troubles nerveux chez les enfants, les réponses sont évidentes.

1. D'abord, il est évident que chaque enfant ne vient pas au monde avec le même bagage (émotionnel, affectif, etc.) et les mêmes réserves (minérales, vitaminiques) et que pour chacun d'entre eux, la réponse nerveuse pourra se manifester de façon et d'intensité différentes par rapport aux stimulus extérieurs.

2. Que l'environnement et les modes de vie qui sont souvent empreints de performance (école, sport), de vitesse, de raccourcis, de contredits (valeurs familiales et valeurs sociales), d'instabilité (séparation, divorce, violence), etc., contribuent à tenir leur système nerveux en alerte.

3. Que les mauvaises habitudes alimentaires qui composent nos menus : friandises, céréales sucrées, barres muslis sucrées, boissons gazeuses, similijus de fruits bourrés de colorants et de sucre, desserts, chocolat, lait au chocolat, pouding, etc., et les mauvaises habitudes de vie chez les enfants (nintendo, game cube, ordinateur, manque d'exercices physiques, manque d'oxygénation, etc.), sont, somme toute, des conditions stimulantes et irritantes pour le système nerveux.

4. Que les systèmes d'élimination (foie, reins, intestins) ne sont pas aussi effectifs qu'ils devraient l'être et que l'accumulation de toxines dans l'organisme irrite les cellules nerveuses.

5. Que les moments de détente, de réflexion, d'introspection, de spiritualité pour permettre aux enfants de faire le point, de prendre le temps de se regarder, de faire part de leurs inconforts, de leurs questionnements, de leur désarroi, de leurs inquiétudes, de leurs joies, de leurs peines, sont peu ou pas mis en place dans des temps bien précis ou peu dirigés.

Comment alors un système nerveux sous-alimenté et sollicité continuellement peut-il ne pas manifester d'irritation et d'excitabilité. Pas surprenant que l'on ait tant de problèmes de comportement chez nos enfants!

Voici donc, en résumé, **certaines conditions qui peuvent entraîner l'épuisement du système nerveux :**

● Alimentation désuète dépourvue d'éléments nutritifs essentiels : « fast-food », surgelés, friture, cuisson au micro-ondes, aliments surcuits, pas ou peu de « crus », alimentation riche en aliments acidifiants (consulter la liste), etc.

● Alimentation riche en protéines : nécessite beaucoup de calcium et de magnésium pour la dégradation des protéines et, du fait, prive le système nerveux d'éléments nutritifs essentiels (favorise problèmes émotionnels).

● Diète sans hydrates de carbone : élimine certains minéraux indispensables pour le système nerveux, dont le magnésium.

● Surconsommation d'aliments irritants : café, thé, boissons gazeuses, alcool, cigarette, drogue.

- Stress répétitif : situations conflictuelles persistantes, inconforts perpétuels, choc émotif, deuil prolongé, etc.

- Mauvaise élimination des déchets de l'organisme (foie, reins, intestins)

- Stress oxydatif : taux de toxémie élevé qui maintient l'organisme et, de fait, le système nerveux dans des conditions irritantes et destructrices qui, à moyen et long terme, endommagent la gaine qui recouvre le nerf et le rend ainsi beaucoup plus vulnérable et irritable.

- Manque d'exercice physique : la sédentarité entraîne l'accumulation des toxines produites non seulement par l'organisme mais par le système nerveux lui-même. Cet encrassement favorise l'irritation, par les toxines circulantes, de la fibre nerveuse.

- Manque de ventilation : la verbalisation de nos sentiments, émotions, est primordiale pour réussir à ventiler l'énergie négative engendrée par ces événements ou situations problématiques, conflictuelles, etc., sinon elles font graduellement leurs dommages à l'interne, subtilement. « Un sentiment négatif verbalisé perd de son intensité », disait Carl Rogers et, évidemment, limite les dégâts psychologiques et physiologiques.

Signes ou symptômes avant-coureurs apparents d'un dysfonctionnement ou d'un épuisement du système nerveux :

### Signes psychologiques et comportementaux
- Impatience
- Fébrilité
- Sautes d'humeur
- Tendance au découragement

- Larme facile; difficulté à retenir ses émotions
- Difficulté à côtoyer les gens
- Anxiété, angoisse, panique, hystérie, peur, dépression
- Manque de mémoire et manque de concentration
- Hyperactivité

### Signes physiologiques

- Diarrhées fréquentes
- Paupières sautillantes
- Tremblements
- Fatigue
- Spasme musculaire
- Difficulté de prononciation
- Acné nerveuse
- Urticaire
- Maux d'estomac
- Mauvaise santé des ongles, des cheveux et de la peau (reflet de notre santé nerveuse)
- Surrénales épuisées
- Épuisement total; le cancer

### Besoins du système nerveux

*Pour maintenir un système nerveux alerte et en santé :*

- Minéraux et oligo-éléments : principalement calcium, magnésium, phosphore, silice, fer, manganèse; légumes verts crus, germinations à chaque repas, grains entiers (céréales complètes), jeunes viandes, poissons.

- Vitamine du groupe B : levure de bière, grains entiers, pollen d'abeille, gelée royale, polissure de riz, sirop de son de riz.

- Suppléments de qualité de multivitamines et minéraux, oligo-éléments, antioxydants.

- Lécithine (riche en choline et en inositol; faisant partie de la famille des vitamines du groupe B, elle permet de nourrir la fibre qui recouvre les nerfs et qui sert de protection).

- Acides gras essentiels (oméga-3 principalement), graine de lin, huile de lin, huile de poisson.

- Voie Royale (Herbier du midi) pour les surrénales épuisées par un système nerveux hyperactif (réglisse, gelée royale, vitamine C, etc.).

- Jaune d'œuf (pas nécessairement cru mais légèrement cuit), car il est riche en vitellus (semblable à la globuline du sang-lécithine), il en est d'ailleurs l'une des meilleures sources. Beaucoup de similitude entre le jaune d'œuf et la substance cérébrale. Toujours accompagner de légumes verts, épinard, salade, etc., ou de germinations, car comme le jaune d'œuf est riche en soufre, les légumes verts permettront de supporter le foie (pour les foies fragiles, restreindre votre consommation).

- Élimination adéquate, soit minimalement deux à trois selles par jour.

- Exercice physique quotidien (marche, étirement musculaire, natation, etc.).

- Moment de détente, de relaxation, méditation (yoga, reiki, etc.).

Ce ne sont pas des solutions miracles, mais sachez que lorsque l'on prend le temps de prendre soin de soi et d'être à l'écoute de son corps, ces différentes recommandations ont un impact bénéfique sur la santé de son système nerveux et évidemment sur sa santé en générale.

Pour terminer, j'aimerais partager le cas vécu d'une de mes clientes qui m'a beaucoup bouleversée, mais qui m'a aussi éveillée à l'importance et à l'urgence de prendre en main mon propre bien-être.

C'est l'histoire d'une de mes clientes, une jeune femme au début de la quarantaine, mère de deux adolescents, décédée d'un cancer de la moelle épinière. Avant ce diagnostic fatal, cette jeune femme travaillait dans un service téléphonique d'urgence.

La pression au quotidien et la gestion de ces situations d'urgence soumettaient continuellement son système nerveux à une répétition de stimulus stressants. Tous les soirs en entrant à la maison, pour arriver à décrocher et à relaxer, elle devait consommer une bière ou plus. De petite stature, elle se nourrissait peu, l'estomac tellement contracté et noué par cet environnement de travail perturbant.

Malheureusement, sur une période de dix ans, sont alimentation souvent désuète et incomplète, l'absence de supplémentation pour pallier ces carences nutritionnelles, les responsabilités familiales comme chef de famille, l'absence de ventilation psychologique, l'inactivité physique, ont permis à ces excès de toxines, produits par un système nerveux en hyperactivité et continuellement sollicité, d'affaiblir suffisamment son organisme et l'ont rendue vulnérable.

Et, un beau matin, rien n'allait plus. Le diagnostic est tombé : cancer de la moelle épinière. Suivirent évidemment tous les traitements médicaux d'usage, chimiothérapie, radiothérapie, deux greffes de moelle osseuse. Malheureusement, ces traitements n'ont rien donné. Elle est décédée la veille de Noël, laissant deux adolescents dans le deuil.

J'ai eu beaucoup de peine et j'ai fait de mon mieux pour l'accompagner durant ses traitements. Elle était tellement consciente d'avoir poussé la « machine nerveuse » à bout. On en avait d'ailleurs beaucoup parlé. Je ne l'ai pas oubliée et ne l'oublierai jamais. Quand je me sens dépassée par les événements, que tout va trop vite, que je me sens épuisée, je pense à Johanne (elle portait le même nom que moi). Je prie, je médite et je m'accorde un repos avant que **mon corps ne me parle plus fort qu'il ne le fait déjà.** À la suite de cela, j'ai choisi de vivre à la campagne, j'ai réduit ma tâche de travail à quatre jours. Je me supplémente quotidiennement, je m'en fais un devoir, et je ne bois ni café ni boissons gazeuses, je ne fume pas et je me couche tôt. Je n'ai pas eu une vie facile; un contexte familial pas toujours harmonieux, une enfance difficile, une adolescence raccourcie, de très mauvaises habitudes de vie, des milliers de projets à réaliser rapidement, etc. Toutes ces conditions ont évidemment contribué grandement à mettre mon système nerveux à l'épreuve. Heureusement, je me suis prise en main dès ma trentaine et j'ai réussi, en grande partie, à réanimer ce système nerveux durement éprouvé.

J'ai aussi réalisé que lorsque l'on parle de maladies nerveuses de nos jours, les théories pleuvent de partout. Sontelles toutes à considérer? C'est un choix personnel. Mais moi, mon cœur me dit que l'on s'en demande trop et que l'on s'éloigne de l'essentiel, de la vraie raison de vivre. À vouloir tout posséder, trop aider, trop donner, on s'oublie, on se néglige et on paie la facture. À un moment donné, le manque de respect pour notre corps nous rattrape. Les miracles, ce n'est ni l'affaire de la médecine ni celle de la naturopathie. La seule façon de régénérer notre corps, c'est de réaliser d'abord combien les énormes contraintes que nous lui faisons subir altèrent son fonctionnement et que nous sommes les seuls (avec l'aide dont nous avons besoin) à pouvoir remédier à la situation.

En conclusion, il faut prendre grand soin de notre système nerveux, car il est l'ordinateur central qui gère toutes les fonctions de l'organisme. C'est lui qui est responsable de transmettre toutes les informations qui devront transiter entre les organes, les glandes, les tissus, les cellules. Il est indispensable pour maintenir la communication entre tous ces intervenants. Il est, par contre, comme toutes les autres composantes du corps, touché par nos mauvaises habitudes alimentaires, nos styles de vie effrénés, notre sédentarité, notre environnement. Ces conditions, à moyen et à long terme, pourront endommager ou désordonner son fonctionnement et on pourra constater que plus les conditions d'intoxication dans l'organisme seront élevées, plus l'environnement immédiat est perturbé, plus les habitudes de vie sont désuètes, plus le système nerveux sera vulnérable et sujet à des restructurations fonctionnelles nerveuses pour palier le déséquilibre.

Alors soyez vigilant, votre système nerveux vous en sera reconnaissant. Ne croyez jamais à la finalité en matière de santé, gardez toujours en mémoire que le corps humain à toutes les capacités de rétablir l'équilibre. Il suffit de lui donner les conditions et les outils nécessaires à sa réadaptation.

## Volet cancer

Je ne donnerai pas de détails sur les traitements ou outils possibles en naturopathie, ni sur les options médicales pour contrer cette maladie qu'est le cancer, car il y a trop de choses à faire et cela appartient à chacun de faire ses propres démarches, ses propres choix.

Je veux seulement vous partager mon opinion sur le sujet. C'est à la lumière de mes années de pratique comme naturopathe et hygiéniste du côlon que s'est bâtie ma vision en rapport à cette maladie, aux traitements traditionnels que l'on nous propose et à l'approche naturopathique.

Je côtoie quotidiennement de nombreuses personnes qui subissent des traitements de chimiothérapie et cela depuis une, deux, voire trois années consécutives (avec évidemment quelques pauses entre les traitements) et, malheureusement, leur état est alarmant. Elles vont d'espoir en espoir à chaque nouveau traitement. Je crois sincèrement qu'une personne, tout en tenant compte de sa condition, doit se donner toutes les chances et prendre des suppléments de vitamines et de minéraux en abondance afin d'éviter les carences que les traitements peuvent entraîner.

Malheureusement, il semble que l'on prenne pour acquis que monsieur et madame Tout-le-monde possèdent les mêmes capacités puisque peu ou pas d'investigations sont faites; le temps nous bouscule, les listes d'attente s'allongent, les disponibilités et les budgets sont restreints! L'efficacité doit donc être au rendez-vous!

Pourrait-on alors s'interroger sur l'accessibilité à recevoir ces traitements sans vérifications et évaluation approfondies des ressources et des capacités **réelles** des personnes cancéreuses. Dans le cas où on le ferait, qu'est-ce que la pharmaceutique traditionnelle pourrait nous offrir?

On pourrait ajouter que les statistiques ne pleuvent pas sur les cas de réussites et les pourcentages obtenus nous étonneraient sûrement.

Alors peut-on se permettre de ne pas avoir une confiance aveugle dans ce qui nous est proposé?

J'aimerais quand même dire « chapeau » à ceux qui s'en sortent avec succès, car ce que vous avez vécu n'est pas facile à traverser. Vous deviez avoir en vous une grande force vitale pour que votre corps passe au travers tous ces traitements répétitifs.

Votre positivisme devait aussi être au rendez-vous. Par contre, d'autres n'ont pas cette chance et ils sont nombreux, nombreuses.

Je ne me permettrais pas de juger les décisions prises quant à vos choix de traitements, mais je vous recommande fortement, parallèlement à ceux-ci, d'investir dans la prise en charge de votre santé par le biais de ces conseils naturopathiques :

- une de mes convictions est qu'il y a une cause émotionnelle derrière chaque maladie. L'urgence est de traiter ces conflits émotionnels qui vous rongent avec l'aide de personnes qualifiées qui vous soutiendront dans votre démarche. Il est essentiel que vous teniez compte de cette dimension, car elle est essentielle à la guérison.

- deuxièmement, une supplémentation de haute qualité, riche en minéraux organiques, en vitamines, en antioxydants, en enzymes va vous être d'un grand secours. Il est indispensable que vous choisissiez des suppléments de qualité, car l'efficacité est différente et ils doivent être conformes aux normes gouvernementales de bonnes pratiques de fabrication (BPF).

- pour sortir rapidement les déchets du corps, beaucoup ont utilisé avec succès les cures, les jeûnes au jus de légumes, les programmes intensifs basés sur le nettoyage du côlon; il y a tant à faire pour s'aider.

- rien ne vaut évidemment l'investissement dans la prévention; une saine alimentation, des habitudes de vie saines, de l'exercice physique, une vie épanouie, des relations harmonieuses (on y travaille évidemment), etc.

Les gens sont parfois inconscients du rôle qu'ils peuvent jouer dans le maintien de leur santé. Ils pensent parfois pouvoir vivre éternellement en fumant la cigarette, en consommant de la drogue, de l'alcool, en prenant des quantités incroyables de médicaments, en s'alimentant mal, en ayant des styles de vie désordonnée. Ils ne se voient pas bien dans le miroir. Tous ces teints grisâtres, ces poches et ces cernes persistants sous les yeux. Cette fatigue accablante qui n'attend qu'un café ou une cigarette de plus pour disparaître. Tous ces petits signes que l'on néglige de considérer ou que l'on remet à plus tard et qui sont les premiers avertissements donnés par l'organisme indiquant qu'il y a inconforts, engorgements, irritations, intoxication, etc. De plus, comme la plupart des gens ne connaissent pas d'autres avenues, le réflexe premier, c'est d'opter pour l'approche traditionnelle de la santé. Une petite pilule... une petite gélule... une petite piqûre! Lorsqu'il y a urgence, parfois on n'a pas le choix. Mais combien de fois avons-nous opté pour des médicaments sur tablettes ou autres pensant qu'ils étaient les seules façons d'éliminer nos inconforts, nos malaises.

Les personnes qui n'ont jamais expérimenté l'approche naturopathique comme moyen d'intervention en cas de maladie, en apportant des changements dans certaines habitudes alimentaires, en prenant des suppléments de qualité (vitamines, minéraux, antioxydants, etc.), en réalisant des cures de jus ou jeûne ou autre approche naturelle de la santé, lorsque la maladie cogne à la porte, paniquent, et la panique n'est pas une bonne chose, elle empêche de se concentrer et d'y voir clair.

Il faut élargir nos horizons, ce n'est pas vrai qu'un organisme malmené ne réagit pas et se contente d'encaisser les coups sans rouspéter; il y a des limites à ce qu'il peut endurer. Soyez vigilant et à l'écoute de votre corps et n'attendez pas que la maladie vous surprenne et vous oblige à changer drastiquement vos habitudes de vie. Le cancer est rarement une maladie qui apparaît soudainement. Combien de fois auparavant votre corps vous a fait part de ses inconforts? Réfléchissez bien et vous vous remémorerez ces signes avant-coureurs!

Alors, prenez votre santé en main, c'est le meilleur conseil que je puisse vous donner. Prenez le temps de prendre soin de vous, en vous informant sur les solutions qui s'offrent à vous. Ce n'est qu'en changeant nos attitudes et habitudes de vie que nous pourrons conserver une santé optimale.

## Volet flore intestinale

Indispensable à la vie, la flore intestinale est définie comme l'ensemble des micro-organismes ou bactéries commensales qui se trouvent dans tout le tube digestif. Elle se développe au cours des premiers jours de la vie apportée par l'air, par les aliments et favorisée par la lactation qui constitue un élément qui permet la colonisation du gros intestin par ces bactéries. Son équilibre est essentiel, car il est le gage d'un excellent fonctionnement du système digestif, une garantie d'un système immunitaire mature et d'un système nerveux équilibré. À défaut de cela, l'état de ces systèmes est compromis; des troubles digestifs, diarrhées, constipation, infections à répétition (oreilles, gorge, poumons, impétigo), asthme, allergies, eczéma. Selon la Dr Natasha Campbell McBride, neurologue et nutritionniste de Londres, l'état de ces système favorise le développement de troubles neurologiques, psychiatriques et immunitaires dont l'autisme, l'hyperactivité, les troubles envahissants du comportement, jusqu'à la schizophrénie, en passant par les allergies, l'asthme, etc. Nous en reparlerons un peu plus loin.

Il y existe de nombreuses espèces différentes de bactéries qui côlonisent le tractus digestif et qui évoluent selon le milieu dans lequel elles vivent. Plus le milieu est acide, moins elles sont présents. On ne se surprendra pas alors qu'elles soient plus ou moins abondantes dans la bouche, peu nombreuses dans l'estomac, plus abondantes dans l'intestin grêle, très abondantes dans le grêle inférieur, extrêmement abondantes dans le côlon. Toutes ces bactéries qui vivent dans notre tube digestif sont sans danger et ont, au contraire, de nombreuses fonctions au sein de l'organisme dont principalement la dégradation des substances que le système digestif n'a pas terminée.

Voici certaines autres fonctions spécifiques de la flore intestinale :

- Terminer la digestion et la dégradation des aliments.

- Synthétiser les vitamines K et B12.

- Collaborer à éliminer les bactéries opportunistes et pathogènes.

- Neutraliser les poisons toxiques qui viennent de la détoxication hépatique.

- Agir sur le système immunitaire en produisant des agents antibiotiques et antifongiques qui freinent la croissance des bactéries et champignons nocifs.

- Garantir la production adéquate de cellules immunitaires et d'immunoglobulines qui contribuent à maintenir l'équilibre immunitaire.

- Aider à créer de l'acide lactique (estomac) qui sert à équilibrer le pH intestinal.

- Protéger des radicaux libres présents dans notre environnement (pesticides, polluants).

- Stimuler le mécanisme de réparation des cellules.

- Maintenir les niveaux adéquats de cholestérol et de triglycérides.

- Agir même au niveau de la biosynthèse hormonale.

Elle a donc un rôle indispensable dans l'organisme d'où l'importance d'en maintenir l'équilibre. « En l'absence ou en carence de bactéries bénéfiques au sein de la flore intestinale, le système digestif n'est plus une source nutritive pour l'organisme, mais bien une source majeure de toxicité » (Dr Natasha Campbell McBride; *Gut and Psychology Syndrome*).

Il est à noter par contre que l'endroit où elles sont les plus abondantes se situe au niveau du côlon. Normalement, le taux de bonnes bactéries est de 85 % et celui des bactéries nuisibles est de 15 %. Mais, de nos jours, l'intestin, souvent perturbé par une alimentation désuète, surchargé de toxines par un transit intestinal ralenti ou déstabilisé par la prise de médicaments, d'antibiotiques, etc., devient l'hôte de bactéries nuisibles et pathogènes; le taux d'acidité de la muqueuse intestinale étant trop élevé, elle devient propice à la prolifération de ces bactéries nuisibles et parfois dangereuses.

Voici les principaux signes et symptômes qui peuvent indiquer la présence d'un désordre de la flore intestinale :

- Diarrhées

- Constipation

- Flatulences (gaz), ballonnements

- Colites, diverticulites, côlon irritable, maladie de Crohn

- Allergies

- Intolérances alimentaires

- Malabsorption des nutriments (éléments nutritifs) qui peut entraîner de nombreux autres problèmes de santé dont une sorte d'anémie entre autres)

- Infections intestinales (gastro-entérite, Helicobacter pylori, C. difficile, etc.)

- Système immunitaire affaibli (faible résistance aux infections)

Plus le déséquilibre sera grand, plus les symptômes seront aggravés.

Voici, plus en détail, certains autres éléments qui peuvent être responsables du déséquilibre de la flore intestinale :

- **L'acide gastrique** : une déficience ou absence d'acide chlorhydrique dans l'estomac favorise la prolifération exagérée des lactobacilles (bactéries) dans l'intestin grêle.

- **Un transit intestinal ralenti** : influence grandement la flore. Moins on élimine rapidement le contenu du côlon, plus les matières restent stagnantes et plus elles fermentent (glucides) ou putréfient (protéines) et plus elles rendent le milieu environnant propice à la prolifération des mauvaises bactéries.

  De plus, elles favorisent la production de gaz toxiques qui vont causer des dommages non seulement à l'intestin mais à tout l'organisme, car ils se faufilent dans tout le système veineux et lymphatique; donc peuvent toucher tous nos organes jusqu'à notre cerveau (*Du gaz dans les neurones*, article de Taty Lauwers concernant le livre du Dr Natasha Campbell McBride).

- **L'alimentation** : une alimentation carnée (viandes et substituts) favorise une flore de « putréfaction », le végétarisme favorise une flore de « fermentation », l'apport exagéré en aliments glucidiques raffinés, etc. Lorsque l'alimentation n'est pas équilibrée et que le transit intestinal n'est pas suffisamment rapide, la flore intestinale, aux prises avec ces résidus en fermentation ou en putréfaction, se voit non seulement altérée et perturbée dans son travail, mais laissera place, à la longue, à d'autres types de bactéries nuisibles pour l'organisme.

- **Les antibiotiques** : qui dit terrain propice à la prolifération de bactéries nuisibles et pathogènes dit faiblesse du système immunitaire et, de fait, diminution de la résistance aux infections. Malheureusement, l'entrée de jeu des antibiotiques, dont le rôle est d'éliminer non seulement les bactéries indésirables mais aussi les bonnes bactéries, entretient l'instabilité du milieu; en affaiblissant et en déstabilisant la flore intestinale locale et en favorisant une autre porte d'entrée facile à d'autres bactéries pathogènes (infection au Clostridium difficile pour ne nommer qu'elle).

- **Vaccin :** qui fragilise le terrain déjà souvent « hypothéqué ».

- **Les troubles du foie, des reins** : si le foie est toujours en excès de poisons provenant de l'environnement, fumée de cigarette, émanation de vapeurs toxiques, comme la peinture, nettoyeur à pinceaux, essence, la flore intestinale est très touchée par la bile toxique qui circulera tout le long des intestins.

En regardant tous ces éléments concernant la flore commensale du tractus digestif, il est indispensable que l'on y apporte dorénavant une attention particulière. On peut intervenir de différentes façons : adopter de saines habitudes alimentaires, favoriser un transit intestinal régulier (deux à trois selles par jour), boire de l'eau au quotidien, manger plus de fibres (fruits et légumes crus, son de blé, son d'avoine, céréales de grains entiers, etc.) et on peut y ajouter, en prévention ou lorsque tout nous indique que notre flore est désuète, des formules de probiotiques au quotidien, car malheureusement, le simple fait de consommer des yogourts ne suffit pas à refaire et à stabiliser notre flore intestinale; on n'a qu'à regarder la grande consommation de ces produits par rapport aux innombrables problèmes et désordres intestinaux auxquels nous sommes confrontés. Je privilégie plutôt, par expérience, un produit de la compagnie Garden of Life, Primal Defense, qui est fait à partir de quatorze souches différentes de bactéries et qui permet une recôlonisation complète de l'intestin. Avec cette formule, on ne fait pas qu'atténuer la problématique, on la règle. Si vous ne pouvez vous procurer ce produit, privilégiez alors une formule qui contient au moins dix souches de bactéries différentes.

Je ne peux terminer ce volet sans vous rapporter brièvement les résultats des recherches qui ont été faites par la Dr Natasha Campbell McBride, neurologue et nutritionniste de Cambridge, sur les liens possibles entre les troubles digestifs, une flore intestinale déséquilibrée et les troubles neurologiques, psychiatriques et immunitaires. Elle parle entre autres de dysbiose intestinale, c'est-à-dire d'anomalies digestives qu'elle identifie comme étant une des causes initiales de ces dérèglements : « Il est courant d'observer que des enfants et de jeunes adultes, victimes d'hyperactivité, d'hyperkinésie, de troubles envahissants du comportement, d'autisme, de dépression ou autres problèmes neuropsychologiques, d'eczéma, d'asthme, d'allergies, etc., souffrent d'anomalies digestives ».

C'est à partir de ses recherches, de son expérience professionnelle et personnelle (son enfant souffrant d'autisme) qu'elle a pu démontrer que la toxicité engendrée par une masse microbienne anormale dans l'intestin amplifie et même produit de graves conséquences directes et indirectes sur le système nerveux (neurologique et psychique) digestif et immunitaire.

Voici en résumé ses constatations :

L'enfant qui vient au monde déjà privé d'éléments indispensables à une fonction digestive efficace, c'est-à-dire avec insuffisamment d'enzymes (salivaire, stomacale, hépatique, pancréatique) et d'acide chlorhydrique, de minéraux et vitamines, une flore intestinale qui se développe anormalement ou qui ne bénéficie pas d'une alimentation qui respecte ses capacités digestives, se voit déjà en route vers une problématique de santé digestive.

Les premiers signes de ces désordres, souvent relatés par les parents en cabinet pédiatrique, sont les coliques, selles volumineuses ou anormalement constituées, évacuation douloureuse, constipation, crampes abdominales, gaz, etc. L'inflammation intestinale est alors diagnostiquée et les solutions apportées sont peu nombreuses. À cela évidemment s'ajoute le développement de bactéries nuisibles et ce qu'elles produisent en déchets toxiques qui vont poursuivre le travail d'affaiblissement et de fragilisation du milieu de vie ambiant des bactéries commensales de l'intestin et vont le rendre plus propice à l'invasion d'intrus, à l'infection. Vont suivre alors des cures d'antibiotiques, pour contrer l'envahissement bactérien, qui vont malheureusement accentuer et maintenir le déséquilibre intestinal.

D'autres intervenants vont aussi avoir leur rôle dans le maintien de ces conditions récidivantes d'inflammation de la muqueuse de l'intestin, les vaccins qui, selon la Dr Campbell McBride, « accroissent les dégâts immunitaires et sont sources d'infections virales chroniques et persistantes ». Alors d'une infection à l'autre, non seulement l'efficacité de nos côlonies de bactéries est diminuée et laisse place aux bactéries nuisibles, mais la muqueuse intestinale finit par être endommagée et, de fait, de moins en moins étanche (elle devient poreuse comme une passoire).

Cette ouverture, si minime qu'elle soit, laisse la possibilité aux toxines ou autres substances étrangères (protéines) de voyager par le circuit sanguin, partout où malheureusement elles n'ont pas leur place. Le système immunitaire se met alors en branle et à la longue, par hyperstimulation, finit pas se dérégler et par occasionner de multiples réactions exagérées (allergies, allergies alimentaires multiples, allergies alimentaires graves, urticaire, eczéma, asthme, etc.) qui sont le lot de plusieurs enfants et adultes.

Elle a pu constater aussi que les toxines produites par cette flore intestinale en déséquilibre, réussissant à passer au travers la barrière de la muqueuse intestinale (la muqueuse ayant perdu son intégrité) et voyageant par la voie sanguine finissent par se rendre à la barrière encéphalorachidienne (cerveau). Imaginez l'impact pour la sphère cérébrale! On a évalué que ces neurotoxines, selon la quantité absorbée et le mélange « concocté », peuvent occasionner différents symptômes neurologiques et psychologiques qui vont du déficit d'attention, troubles envahissants du comportement, troubles d'apprentissage, autisme, troubles de la personnalité, jusqu'à la schizophrénie.

Heureusement, à la suite de ces découvertes importantes, la Dr Campbell McBride a élaboré et mis en place un plan d'intervention qui comprend des correctifs alimentaires spécifiques et une « stratégie de ressourcement au naturel » qui vise à redonner à la muqueuse intestinale et à la flore intestinale toute leur intégrité et leur efficacité. Elle y ajoute évidemment le suivi neurologique et psychologique. Elle a ensuite appliqué, auprès de sa clientèle (incluant son fils souffrant d'autisme) au prise avec des troubles neurologiques ou psychologiques, ces recommandations de façon rigoureuse et les excellents résultats obtenus ont permis de confirmer les effets bénéfiques réels de cette approche complémentaire. Cela demande de la rigueur mais que de résultats magnifiques!

À nous maintenant d'y voir!

Pour terminer, à titre d'informations supplémentaires, voici quelques-unes des neurotoxines impliquées dans ces processus d'intoxication de l'organisme.

### *Acétaldéhyde et alcool*

Les microbes les plus pathogènes qui se développent dans les intestins déficients sont les levures surtout de type candida. Ces levures, qui fermentent d'une façon déviante les hydrates de carbone (alimentation riche en céréales, en sucre, en pâtes, etc.), favorisent la production de résidu tel l'alcool et son sous-produit très toxique, l'acétaldéhyde. Ce dernier produit a de nombreux effets toxiques dans l'organisme dont la modification de la structure des protéines favorisant ainsi de nombreuses réactions auto-immunes (nos anticorps détruisant nos propres tissus.) Un autre effet plus concret est la gueule de bois permanente (comme après avoir consommé une trop grande quantité d'alcool).

### Neurotoxines des clostridia

Il existe plus de cent variétés de clostridies répertoriées à ce jour. Les toxines produites par ces levures ne produisent aucun trouble dans un intestin intègre; les bactéries les tenant en joue. Mais lorsqu'elles se retrouvent en présence d'une dysbiose intestinale (flore désuète et intégrité de la muqueuse perturbée), la garde à vue est négligée, la barrière est presque inexistante et voilà, le tour est joué, nos neurotoxines traversent et se retrouvent dans le circuit sanguin et vont se faire un chemin jusqu'à la barrière encéphalorachidienne inhibant ainsi la croissance mentale de l'enfant. À noter, on les retrouve dans les selles des personnes souffrant d'autisme, de schizophrénie, de psychose, de dépression grave, de paralysie musculaire, etc., mais malheureusement elles sont difficiles à repérer parce qu'elles font partie des levures qui vivent en anaérobie.

« Sans le contrôle des bactéries intestinales bénéfiques, des bactéries nuisibles et pathogènes, des virus, des levures-champignons arrivent à côloniser les larges zones de l'intestin et digèrent la nourriture de manière à produire une palette de substances toxiques qui se retrouvent dans le circuit sanguin »; le système digestif devient alors non pas une ressource d'apport d'éléments nutritifs mais plutôt une source majeure de toxicité.

On pourrait encore en nommer, mais je crois que l'essentiel est de prendre conscience de ce qui se passe si l'on veut vraiment intervenir efficacement. Informez-vous et consultez!

# Références

**Campbell McBride, Dr. Natacha.** *Gut and psychology syndrome*, Medinform, 2004.

**Lee, Dr. J. R.** *Équilibre hormonal et progestérone naturelle*, Édition Sully, 1993.

**Limoges, Christian.** *Cours en naturopathie bionomiste*, École C. E. N. A. B., 1997.

**Jensen, Bernard**. *The chemistry of men*. Édition Bernard Jensen International, 1983.

**Jensen, Bernard**. *Tissue cleansing through bowel management*. Édition Bernard Jensen International, 1981.

**Jensen, Bernard**. *Nature Has A Remedy*. Édition Bernard Jensen International, 1978.

**Marieb, Élaine N.** *Anatomie et physiologie humaines*. Édition du Renouveau Pédagogique, 1999.

**Massan, Robert.** *Super regénération par les aliments miracles*, Édition Albin Michel, 1987.

**Massan, Robert.** *Diététique de l'expérience*, Édition Guy Trédaniel, 2003.

**Mérien, Désiré.** *L'hygiène vitale pour votre santé*, Édition Nature et Vie, 1983.

**Turgeon, Louis**. *Encyclopédie pratique des aliments et recettes pour triompher de 110 troubles de santé*. Édition Virage, 1992.

**Turgeon, Louis**. *Santé et alimentation après 50 ans*. Édition de Mortagne, 1989.

Pour rejoindre l'auteure ou être informé de ses activités, le lecteur est invité à consulter les sites suivants :

www.systemedigestif.com
www.beliveaujohanne.com

**Marquis imprimeur inc.**

Québec, Canada
2008